Birdsearch

This edition published in 2021 by Arcturus Publishing Limited
26/27 Bickels Yard, 151–153 Bermondsey Street,
London SE1 3HA

AD007445NT

Printed in the UK

FSC
www.fsc.org
MIX
Paper from responsible sources
FSC® C020471

Contents

Introduction

"The reason birds can fly and we can't is simply because they have perfect faith, for to have faith is to have wings."

J.M. Barrie

Beautiful and majestic, or small and cute, birds have proven endlessly fascinating to both the serious ornithologist and the casual observer, and have provided inspiration for painters and poets, singers, and scientists. Curiously, they are believed to be the only living descendants of dinosaurs, and so are a vital link to our past.

Whether you enjoy spotting everyday garden birds, such as magpies and finches, or flying off to exciting locales in search of rare and exotic species, you will find something to love within these pages. Each of the puzzles contained within is somehow themed in a way related to our feathered friends. From tropical and rainforest birds to birds with unbelievable beaks, to excerpts from works of literature, you'll be filling up your list of birds spotted in no time as you enjoy more than 130 exciting puzzles.

Some of the puzzle grids are accompanied by a word list which has certain words underlined. In these puzzles the underlined words are the only ones that you need to find within the grid. Where no words are underlined your task is to find them all!

So, have your binoculars at the ready and your bird-spotting guide in hand as you embark on a birdwatching expedition without ever leaving the comfort of your own home.

1 Songbirds

F	E	U	R	E	T	A	E	Y	E	N	O	H	R	W
L	A	L	R	A	H	O	N	A	F	R	E	S	E	A
Y	L	M	O	E	W	C	T	N	I	A	G	W	P	X
C	S	E	O	I	P	H	T	G	N	S	V	A	E	B
A	E	B	U	C	R	E	N	A	C	E	R	L	E	I
T	L	P	U	A	K	O	E	K	H	R	L	L	R	L
C	M	A	S	N	U	I	W	R	O	T	R	O	C	L
H	R	H	N	P	T	C	N	T	C	E	U	W	E	R
E	E	E	I	I	A	I	B	G	L	Y	K	N	E	E
R	S	P	L	T	D	I	N	B	B	U	E	G	R	K
M	I	I	B	B	L	R	R	G	W	I	A	N	T	I
T	Y	I	L	L	B	A	A	R	P	N	R	P	O	R
S	R	N	G	T	W	A	E	C	A	M	K	D	U	H
D	H	M	A	R	C	N	B	T	H	R	U	S	H	S
S	M	E	Y	H	A	W	O	R	R	A	P	S	E	R

- ◊ BABBLER
- ◊ BUNTING
- ◊ CARDINAL
- ◊ CATBIRD
- ◊ FINCH
- ◊ FLYCATCHER
- ◊ HONEY-CREEPER
- ◊ HONEYEATER
- ◊ MOCKING-BIRD
- ◊ MYNAH
- ◊ NUTHATCH
- ◊ ORIOLE
- ◊ PARROTBILL
- ◊ PIPIT
- ◊ SHRIKE
- ◊ SPARROW
- ◊ SWALLOW
- ◊ TANAGER
- ◊ THRASHER
- ◊ THRUSH
- ◊ TREE-CREEPER
- ◊ WARBLER
- ◊ WAXBILL
- ◊ WREN

2 *April* by Sara Teasdale

S	A	V	H	E	A	O	E	T	A	S	I	N	G	B
S	C	E	S	C	E	L	E	S	E	U	F	U	R	G
D	R	I	D	E	T	R	B	W	R	Y	F	O	N	B
A	W	R	E	T	A	T	T	O	A	P	W	I	O	B
U	Y	I	I	S	S	E	S	R	S	N	R	Y	Y	R
N	E	L	T	T	T	U	C	R	U	P	F	D	B	S
C	Y	C	E	H	R	A	E	A	S	J	N	A	A	S
H	A	L	A	S	P	I	L	P	E	I	P	V	C	D
A	N	S	N	R	H	C	T	S	W	A	E	E	K	U
N	K	N	I	O	G	I	D	T	T	E	R	B	Y	O
G	E	L	E	F	N	L	N	I	E	A	B	S	A	L
I	S	R	L	I	U	A	P	I	R	R	I	C	R	C
N	U	Y	A	O	U	I	M	U	N	N	N	R	D	U
G	R	R	C	B	M	T	I	R	G	G	G	A	S	B
E	E	L	T	T	L	I	E	S	L	D	S	U	A	T

THE ROOFS ARE SHINING FROM THE RAIN.

THE SPARROWS TRITTER AS THEY FLY,

AND WITH A WINDY APRIL GRACE

THE LITTLE CLOUDS GO BY.

YET THE BACK-YARDS ARE BARE AND BROWN

WITH ONLY ONE UNCHANGING TREE –

I COULD NOT BE SO SURE OF SPRING

SAVE THAT IT SINGS IN ME.

3

The Puffin
(Excerpt from *Bewick's British Birds*)

G	R	E	S	Y	U	S	A	I	R	M	A	G	S	H
T	A	M	O	N	G	N	H	E	A	H	S	N	E	P
S	D	K	R	S	T	A	C	E	C	E	G	I	K	U
A	E	I	K	A	S	R	V	A	L	S	E	Z	A	F
A	W	L	F	R	B	E	E	M	G	T	N	O	T	F
E	A	K	O	F	R	B	L	H	N	N	E	D	U	I
W	R	C	W	E	I	A	I	O	T	N	I	R	M	N
A	K	A	T	A	C	C	T	T	H	A	I	W	I	H
S	D	U	P	I	R	E	U	S	I	C	E	E	F	G
A	R	U	P	I	A	D	U	L	E	C	B	W	M	U
N	T	R	T	P	D	A	F	N	T	R	R	E	O	O
G	N	I	L	G	G	I	R	W	R	Y	A	F	N	H
W	A	Y	S	U	O	U	T	S	E	P	M	E	T	T
G	M	N	S	S	A	R	G	Y	A	K	J	R	N	Y
E	U	F	F	I	C	Y	Y	T	I	D	I	P	A	Y

THE PUFFIN, THOUGH IT TAKES WING WITH DIFFICULTY, CAN FLY WITH RAPIDITY. IT WALKS WITH A WRIGGLING AWKWARD GAIT. IN TEMPESTUOUS WEATHER IT TAKES SHELTER IN HOLES IN THE NEAREST ROCKS, OR IN THOSE MADE BY THE RABBIT ON THE BEACH, AMONG THE BENT GRASS, IN WHICH IT SITS DOZING TILL THE RETURN OF CALM WEATHER.

4 Goshawks

R	S	S	D	E	K	C	A	B	Y	T	A	L	S	G
W	A	A	A	W	A	S	U	L	A	W	E	S	I	N
D	C	B	M	D	O	R	I	A	S	U	N	W	D	I
E	D	I	A	T	N	S	K	E	A	E	U	E	T	T
I	E	M	L	G	S	U	P	I	W	B	R	D	C	N
L	L	I	J	I	E	I	S	B	H	J	E	N	R	A
L	I	T	T	N	E	Z	R	R	Q	S	A	P	E	H
E	A	A	U	D	R	I	N	H	E	C	C	A	S	C
B	T	T	Y	P	T	E	H	A	C	S	E	L	T	N
E	T	O	F	A	L	E	H	U	C	L	S	P	E	R
T	O	R	I	I	N	A	L	T	B	I	E	E	D	E
I	P	N	M	S	J	O	R	U	R	Y	R	C	L	T
H	S	A	T	P	M	I	A	E	O	O	E	F	D	S
W	A	S	M	E	Y	E	R	S	W	A	N	R	A	A
S	E	D	A	R	K	C	H	A	N	T	I	N	G	E

◊ AFRICAN
◊ BROWN
◊ CHRISTMAS
◊ CRESTED
◊ DARK CHANTING
◊ DORIA'S
◊ EASTERN CHANTING
◊ FIJI
◊ GABAR
◊ GREY
◊ HENST'S
◊ IMITATOR
◊ LESSER SUNDAS
◊ MEYER'S
◊ MOLUCCAN
◊ NEW BRITAIN
◊ NORTHERN
◊ PIED
◊ RED
◊ SHIKRA
◊ SLATY-BACKED
◊ SPOT-TAILED
◊ SULAWESI
◊ WHITE-BELLIED

Birds Beginning with "K"

K	A	V	I	L	U	H	K	R	E	D	S	P	E	K
O	J	U	K	A	N	K	O	L	W	K	Y	B	C	S
N	K	K	Y	L	R	I	K	I	O	D	A	E	S	A
O	K	I	K	U	D	E	A	T	B	K	D	R	K	A
R	E	O	O	K	I	B	E	N	E	A	A	O	O	H
E	S	E	N	L	E	C	C	D	M	L	B	K	K	O
B	T	A	A	H	O	Y	E	R	L	O	G	A	O	O
M	R	K	E	L	P	I	E	M	B	L	F	N	A	K
O	E	M	O	E	K	K	D	A	H	F	I	M	I	U
L	L	K	P	S	A	U	K	E	I	B	A	K	F	K
I	D	E	A	L	W	R	N	R	S	K	O	P	J	E
K	K	O	K	L	A	S	S	G	W	M	K	M	P	V
E	I	I	A	O	L	U	R	O	W	K	U	G	A	K
B	E	T	K	J	L	S	B	O	K	E	L	H	A	K
K	A	E	E	R	S	K	U	V	Y	A	W	E	K	Y

◊ KABOBO APALIS
◊ KAFFIR RAIL
◊ KAGU
◊ KAKAPO
◊ KAMAO
◊ KAROO BUSTARD
◊ KAWALL'S PARROT
◊ KEA
◊ KELP GULL
◊ KERMADEC PETREL
◊ KESTREL
◊ KILLDEER
◊ KILOMBERO WEAVER
◊ KINGLET CALYPTURA
◊ KIOEA
◊ KIOLOIDES RAIL
◊ KITE
◊ KOKAKO
◊ KOKLASS PHEASANT
◊ KONA GROSBEAK
◊ KOPJE WARBLER
◊ KOSRAE STARLING
◊ KULAL WHITE-EYE
◊ KUNGWE APALIS

6 Bird Families (Common Names)

Z	U	S	Y	S	R	I	W	X	S	Y	S	P	H	G
S	P	L	C	V	N	H	V	F	E	I	D	P	U	C
T	L	W	P	Z	U	O	E	U	E	U	R	G	N	F
O	I	O	A	E	Z	D	E	A	R	V	A	U	R	T
R	U	E	M	W	S	S	G	G	S	K	T	S	E	R
K	X	A	I	L	R	U	E	S	I	X	S	N	T	O
S	G	S	S	B	S	S	O	H	O	P	U	O	T	G
S	E	B	E	R	G	N	E	R	C	C	B	O	I	O
N	I	D	D	H	S	A	O	R	G	I	A	L	B	N
I	N	S	E	V	C	E	P	C	I	D	R	R	N	S
U	S	E	V	O	D	N	T	S	L	E	N	T	U	J
G	D	C	L	D	V	J	I	I	A	A	M	A	S	T
N	S	N	A	W	S	W	X	F	S	D	F	A	S	O
E	H	S	D	R	I	B	A	E	S	E	I	B	S	P
P	A	X	F	K	U	S	O	G	N	I	M	A	L	F

◊ BUSTARDS
◊ DOVES
◊ FALCONS
◊ FINCHES
◊ FLAMINGOS
◊ GAME
◊ GREBES
◊ KAGU
◊ KIWIS
◊ LOONS
◊ MESITES
◊ OSTRICHES
◊ OWLS
◊ PENGUINS
◊ PIGEONS
◊ RHEAS
◊ SANDGROUSE
◊ SEABIRDS
◊ SERIEMAS
◊ STORKS
◊ SUNBITTERN
◊ SWANS
◊ TROGONS
◊ TURACOS

7 Birds in the Harry Potter Universe

R	E	P	O	O	W	F	X	N	I	W	D	O	R	B
E	Y	T	H	E	R	M	E	S	N	J	L	E	I	U
K	R	P	R	E	X	R	R	Y	E	W	T	F	A	R
G	I	R	R	U	D	L	K	E	A	S	V	I	L	N
O	H	N	O	A	V	W	R	C	A	P	A	R	B	I
S	I	C	G	L	H	U	I	G	F	S	U	E	A	N
H	A	N	S	F	T	R	Y	G	A	W	G	B	T	G
A	O	L	M	L	I	L	Z	F	W	A	U	I	R	D
W	O	R	U	D	L	S	L	U	K	L	R	R	O	A
K	H	V	F	A	B	A	H	Y	E	L	E	D	S	Y
V	O	V	N	N	M	R	M	E	S	O	Y	X	S	S
A	O	S	J	I	P	C	S	Z	R	W	R	I	N	D
G	H	T	N	J	O	B	B	E	R	K	N	O	L	L
E	L	G	A	E	N	E	D	L	O	G	W	J	F	P
N	O	E	G	D	I	W	G	I	P	Y	K	C	L	S

◊ ALBATROSS
◊ AUGUREY
◊ BRODWIN
◊ BURNING DAY
◊ DIRICAWL
◊ ERROL
◊ FAWKES
◊ FIREBIRD
◊ FLAMINGO
◊ FWOOPER
◊ GOLDEN EAGLE
◊ GOSHAWK
◊ HANS
◊ HARPY
◊ HEDWIG
◊ HERMES
◊ HOO-HOO
◊ JOBBER-KNOLL
◊ KINGFISHER
◊ PIGWIDGEON
◊ SNALLY-GASTER
◊ SNOWY
◊ SWALLOW
◊ VULTURE

8 Accipitriformes

Y	L	L	I	A	N	S	H	A	R	R	I	E	R	L
P	T	R	K	W	A	H	W	O	R	R	A	P	S	E
R	U	K	A	B	E	V	U	L	T	U	R	E	K	W
A	K	G	M	E	A	P	H	F	A	E	C	W	P	T
H	W	M	O	A	P	Z	M	R	L	R	A	N	Y	E
E	A	W	R	I	P	E	A	G	E	H	O	P	G	T
V	H	S	C	L	R	C	A	T	S	C	V	B	M	E
F	E	N	F	L	A	E	A	O	L	G	A	U	Y	L
B	N	J	I	R	E	R	G	A	B	T	X	A	E	G
O	A	N	A	K	Y	L	F	U	E	H	F	R	A	A
S	R	C	A	B	L	X	Z	L	Y	Y	T	K	G	E
P	C	N	I	Z	E	Z	E	B	J	S	Y	I	L	H
R	S	R	I	V	A	U	B	J	E	T	E	H	E	S
E	D	W	P	R	R	O	S	K	Z	I	S	S	H	I
Y	N	J	D	W	H	I	S	T	L	I	N	G	L	F

◊ BATELEUR
◊ BAZA
◊ BESRA
◊ BUZZARD
◊ CARACARA
◊ CRANE HAWK
◊ FISH EAGLE
◊ GOSHAWK
◊ HARPY EAGLE
◊ HARRIER
◊ HOBBY
◊ KESTREL
◊ LAUGHING FALCON
◊ MERLIN
◊ OSPREY
◊ PEARL KITE
◊ PYGMY EAGLE
◊ SECRETARY-BIRD
◊ SHIKRA
◊ SNAIL KITE
◊ SNAKE EAGLE
◊ SPARROW-HAWK
◊ KING VULTURE
◊ WHISTLING KITE

Birds Beginning with "W"

L	E	R	B	M	I	H	W	W	T	F	N	K	E	W
T	E	L	L	I	W	A	H	N	R	E	T	S	E	W
S	D	W	K	T	K	E	W	A	R	W	W	I	Y	H
A	G	B	T	E	A	N	L	W	U	T	O	O	Y	I
W	D	S	W	T	W	H	I	T	E	I	B	I	S	T
W	R	E	E	R	E	K	C	E	P	D	O	O	W	E
H	W	A	L	N	W	G	N	N	W	I	L	L	A	T
I	R	E	N	T	A	H	N	W	I	T	G	W	E	H
S	Y	M	O	A	T	H	I	I	A	H	A	U	Y	R
P	B	O	E	E	V	A	W	P	W	R	W	R	E	O
E	I	C	G	W	A	D	W	W	B	X	W	I	E	A
R	L	L	I	B	E	E	W	L	R	I	A	B	T	T
I	L	E	W	R	Y	N	E	C	K	U	R	W	I	E
N	W	W	A	T	E	R	C	O	C	K	H	D	H	H
G	E	O	L	O	K	A	W	R	O	I	Y	U	W	W

- ◊ WAKOLO MYZOMELA
- ◊ WARBLER
- ◊ WATERCOCK
- ◊ WATTLED JACANA
- ◊ WAXWING
- ◊ WEEBILL
- ◊ WEKA
- ◊ WELCOME SWALLOW
- ◊ WESTERN CITRIL
- ◊ WHANES' PAROTIA
- ◊ WHEATEAR
- ◊ WHIMBREL
- ◊ WHINCHAT
- ◊ WHIPBIRD
- ◊ WHISPERING IBIS
- ◊ WHITE IBIS
- ◊ WHITE-EYE
- ◊ WHITE-THROAT
- ◊ WIGEON
- ◊ WILLET
- ◊ WOOD-PECKER
- ◊ WREN
- ◊ WRYBILL
- ◊ WRYNECK

10 Birds of North America

Y	G	O	C	N	U	J	D	E	Y	E	K	R	A	D
P	Y	R	R	H	U	L	O	X	I	A	D	A	T	T
J	N	D	R	A	L	L	A	M	T	A	L	E	M	O
J	I	H	B	M	R	N	X	F	B	U	L	O	N	M
S	K	E	I	R	T	O	I	V	R	K	U	G	S	E
B	P	P	O	G	C	W	S	A	U	R	D	R	P	L
D	M	B	W	U	S	N	P	A	N	A	E	E	A	L
L	I	P	U	L	S	A	V	I	M	D	M	B	R	I
N	L	R	N	L	V	U	N	W	I	U	N	E	R	U
J	E	S	U	O	R	G	A	E	F	W	R	R	O	G
A	U	L	C	S	D	R	D	N	G	T	U	R	W	B
C	T	E	C	O	B	R	E	S	N	A	G	R	E	M
A	T	R	V	L	Y	E	L	L	O	W	L	E	G	S
N	V	E	E	V	A	H	I	L	L	M	Y	N	A	H
A	N	R	F	Y	D	D	O	N	N	W	O	R	B	J

◊ AMERICAN AVOCET
◊ AMERICAN ROBIN
◊ BLACK GUILLEMOT
◊ BROWN NODDY
◊ DARK-EYED JUNCO
◊ EARED GREBE
◊ GREATER YELLOWLEGS
◊ HEERMAN'S GULL
◊ HILL MYNAH
◊ HOODED MERGANSER
◊ JAVA SPARROW
◊ KING EIDER
◊ LEAST AUKLET
◊ LIMPKIN
◊ MALLARD
◊ MOURNING DOVE
◊ MURRE
◊ NORTHERN JACANA
◊ PYRRHULOXIA
◊ SORA
◊ SPRUCE GROUSE
◊ TROPICAL PARULA
◊ VAUX'S SWIFT
◊ YELLOW WARBLER

11 Best Birdwatching

L	C	A	P	E	M	A	Y	M	E	M	O	O	R	B
A	U	T	J	A	I	B	M	A	G	W	O	D	T	O
N	H	A	V	S	E	L	O	U	I	S	I	A	N	A
A	D	R	B	H	U	T	A	N	K	V	R	W	E	T
T	N	I	R	A	N	O	R	J	A	A	K	N	A	R
N	A	R	L	L	T	A	T	C	B	K	K	A	I	O
A	L	A	L	A	G	M	I	O	R	A	W	I	S	D
P	A	V	G	S	T	A	C	V	E	H	E	T	U	A
Y	G	O	V	K	M	I	L	A	G	B	B	U	L	U
P	A	P	U	A	N	E	W	G	U	I	N	E	A	C
Q	N	A	J	O	D	I	X	N	R	P	I	L	D	E
M	M	E	D	S	P	D	A	B	K	G	B	A	N	A
P	A	N	J	F	R	D	J	A	N	D	A	M	A	N
L	I	N	S	E	D	A	L	G	R	E	V	E	S	Y
M	V	Q	U	Y	E	L	L	A	V	T	F	I	R	X

◊ ALASKA
◊ ALEUTIAN
◊ ANDALUSIA
◊ ANDAMAN
◊ BHUTAN
◊ BROOME
◊ CAPE MAY
◊ DANUBE
◊ ECUADOR
◊ EVERGLADES
◊ GAMBIA
◊ JAMAICA
◊ KAKUM
◊ KRUGER
◊ LOUISIANA
◊ MANU
◊ MINDO
◊ NAGALAND
◊ NICOBAR
◊ OTAGO
◊ PANTANAL
◊ PAPUA NEW GUINEA
◊ RIFT VALLEY
◊ VARIRATA

12 Birdwatching Authors

L	S	L	X	A	T	E	N	O	D	R	O	G	N	S
P	R	G	E	N	N	S	T	U	E	H	E	L	M	N
S	Q	H	A	P	H	M	Y	T	P	U	O	A	A	E
E	E	R	O	A	P	Y	R	R	E	T	S	L	R	T
N	G	K	E	D	G	E	H	P	P	V	U	V	Z	S
A	N	T	O	I	E	H	O	E	P	P	O	G	L	I
M	O	H	A	T	Y	S	T	K	E	T	U	L	U	N
F	S	N	U	A	S	I	H	T	R	O	L	M	F	G
U	P	O	D	W	H	Q	E	K	B	L	C	L	F	E
A	M	S	U	W	X	R	E	M	E	V	L	X	O	R
K	O	S	B	H	S	M	A	H	R	E	S	G	A	D
Q	H	N	O	O	U	S	C	U	G	G	M	C	R	B
B	T	E	N	H	C	I	R	N	Y	E	L	B	I	S
Z	E	V	Z	I	M	B	A	N	E	I	R	B	O	O
G	Z	S	K	T	S	I	U	Q	L	H	A	S	P	V

◊ AHLQUIST
◊ ANGELL
◊ AUDUBON
◊ GORDON
◊ GRANT
◊ HELM
◊ HUME
◊ KAUFMAN
◊ KOEPPEL
◊ LOVETTE
◊ MARZLUFF
◊ MICHELL
◊ OBMASCIK
◊ O'BRIEN
◊ PEPPERBERG
◊ PETERSON
◊ RHODES
◊ SIBLEY
◊ SNETSINGER
◊ STERRY
◊ STOKES
◊ SVENSSON
◊ THOMPSON
◊ WHITE

Celebrity Bird Puns

J	J	O	N	I	S	S	T	O	H	R	R	A	T	S
A	E	A	G	N	R	N	A	N	E	D	I	E	K	G
G	A	U	S	U	E	H	J	A	I	B	C	J	I	B
G	N	P	V	O	D	W	J	E	N	K	M	U	O	K
E	H	Y	G	K	N	I	N	A	X	G	L	Q	N	R
R	V	M	Z	B	A	L	L	N	U	N	N	U	I	Y
S	A	M	P	S	S	L	I	B	A	O	V	R	C	B
K	A	I	V	E	A	I	S	Z	T	M	E	T	A	S
E	T	J	N	R	S	S	X	R	E	I	K	T	P	O
T	L	P	A	I	A	G	A	R	V	S	R	C	G	R
S	E	G	R	M	E	P	Y	A	O	Y	D	N	I	C
M	D	R	I	N	M	L	J	N	V	P	E	R	V	R
E	O	S	E	K	O	L	A	F	F	U	R	K	B	G
N	E	R	R	I	M	Y	R	R	E	B	I	A	T	P
E	O	K	E	Y	N	A	K	E	T	U	D	T	H	M

- ◊ BIRD PITT
- ◊ BIRDIE SANDERS
- ◊ CHICK JAGGER
- ◊ CINDY CLAWFORD
- ◊ DUCK NORRIS
- ◊ EDGAR ALLAN CROW
- ◊ FLAMINGO STARR
- ◊ GENE QUACKMAN
- ◊ GOOSE WILLIS
- ◊ HERON MIRREN
- ◊ JASON SEAGULL
- ◊ JAVIER BIRDEM
- ◊ JIMMY TALON
- ◊ KANYE NEST
- ◊ LARK RUFFALO
- ◊ MACAWLY CULKIN
- ◊ MERYL CHEEP
- ◊ OPRAH WINGFREY
- ◊ OWL PACINO
- ◊ OWLAN RICKMAN
- ◊ OWLY BERRY
- ◊ POLLY PARTON
- ◊ SIMON OWL
- ◊ WING CROSBY

Famous Bird Owners

D	A	M	C	K	I	N	L	E	Y	F	R	N	T	Y
N	S	C	N	H	K	N	X	J	G	J	O	L	W	U
H	I	A	A	R	E	T	T	U	S	S	L	W	U	T
J	W	Y	E	E	N	G	B	N	N	O	Y	I	X	S
S	E	H	R	W	N	M	N	H	C	I	A	S	G	R
S	O	G	E	K	E	N	O	O	S	R	T	H	S	V
K	A	P	D	D	D	J	N	R	T	E	T	B	P	E
N	C	P	N	O	Y	N	E	N	F	L	A	I	I	G
E	L	N	A	D	O	W	A	A	E	N	I	E	E	D
R	A	O	X	R	O	F	N	V	O	T	X	H	L	I
R	F	S	E	P	E	I	E	S	U	A	V	Y	B	L
A	T	Y	L	E	R	S	K	R	O	U	R	K	E	O
W	W	T	A	O	O	C	Z	W	R	X	C	H	R	O
L	H	H	C	O	A	D	I	C	K	E	N	S	G	C
Y	U	U	R	J	N	O	S	R	E	F	F	E	J	W

- ◊ ALEXANDER THE GREAT
- ◊ ANDREW JACKSON
- ◊ CALVIN COOLIDGE
- ◊ CEE LO GREEN
- ◊ CHARLES DICKENS
- ◊ DIANE WARREN
- ◊ ELIZABETH TAYLOR
- ◊ FLANNERY O'CONNOR
- ◊ GWEN STEFANI
- ◊ HILARY SWANK
- ◊ JOHN F. KENNEDY
- ◊ KURT SUTTER
- ◊ LYNDON B. JOHNSON
- ◊ MICKEY ROURKE
- ◊ MIKE TYSON
- ◊ PARIS HILTON
- ◊ RADAMEL FALCAO
- ◊ RUTHERFORD B. HAYES
- ◊ STEPHANIE POWERS
- ◊ STEVEN SPIELBERG
- ◊ STEVEN TYLER
- ◊ THEODORE ROOSEVELT
- ◊ THOMAS JEFFERSON
- ◊ WILLIAM MCKINLEY

15 Rhymes with "Wren"

N	E	M	E	S	R	O	H	R	S	E	N	M	R	E
E	B	B	A	N	E	M	S	T	R	O	P	S	D	N
G	N	E	P	L	L	U	B	M	A	I	L	M	E	N
E	F	S	I	A	E	N	E	Z	G	R	Z	M	E	E
N	E	O	W	U	E	N	J	P	V	K	O	H	N	I
N	E	M	G	O	R	F	E	H	K	E	T	A	J	D
N	E	N	I	N	R	N	N	M	Y	I	N	G	D	E
N	E	E	E	L	E	D	P	E	S	W	U	D	F	M
N	R	M	R	N	K	M	S	L	H	E	H	L	X	O
E	I	Y	R	M	N	M	R	M	A	A	B	E	L	C
M	E	G	E	E	A	E	E	I	E	Y	E	I	N	U
S	N	R	D	T	M	D	Y	N	A	N	P	P	R	G
N	Q	E	A	E	D	A	M	A	E	N	E	E	L	T
I	V	L	M	L	E	N	Z	E	C	Y	F	I	N	E
K	E	C	M	A	E	N	E	W	N	J	N	E	L	G

◊ AIRMEN
◊ AMEN
◊ BULLPEN
◊ CAYENNE
◊ CLERGYMEN
◊ COMEDIENNE
◊ FROGMEN
◊ GLEN
◊ HORSEMEN
◊ KINSMEN
◊ LAWMEN
◊ MADMEN
◊ MAILMEN
◊ MERMEN
◊ MILKMEN
◊ PEAHEN
◊ PIGPEN
◊ PLAYPEN
◊ SPORTSMEN
◊ SWORDSMEN
◊ THEN
◊ TRIBESMEN
◊ WHEN
◊ YEOMEN

16 Incredible Nest Builders

F	E	N	I	L	U	D	N	E	P	L	Q	U	S	F
Z	D	R	I	B	R	E	W	O	B	E	H	A	W	K
C	G	E	A	F	R	E	K	Z	A	T	L	L	H	B
E	N	T	N	X	A	R	V	B	O	O	L	O	V	U
T	P	O	A	T	E	L	A	A	C	K	R	Z	H	S
I	L	R	C	M	I	Y	O	I	E	N	D	C	F	W
K	O	F	A	L	A	T	T	D	E	W	R	W	O	I
R	V	H	J	H	A	S	H	R	N	M	I	L	Q	F
X	E	I	V	K	I	F	O	S	O	E	L	T	R	T
F	N	T	S	C	G	T	R	O	U	A	P	R	O	L
D	B	E	A	D	A	R	R	Y	W	B	E	O	F	E
I	I	L	X	E	H	H	E	S	G	D	C	D	R	T
B	R	G	K	I	E	B	L	B	A	Y	S	I	T	O
A	D	A	S	N	R	E	K	C	E	P	D	O	O	W
S	Q	E	H	O	R	N	B	I	L	L	E	J	R	Y

◊ BALD EAGLE
◊ BARN SWALLOW
◊ BAYA
◊ BEE-EATER
◊ BLACK KITE
◊ BOWERBIRD
◊ BUSHTIT
◊ CASPIAN TERN
◊ CISTICOLAS
◊ GYRFALCON
◊ HAMERKOP
◊ HARRIS HAWK
◊ HORNBILL
◊ HORNED COOT
◊ JACANA
◊ LITTLE GREBE
◊ OROPENDOLA
◊ OVENBIRD
◊ PENDULINE TIT
◊ PURPLE MOORHEN
◊ RUFOUS HORNERO
◊ SOCIABLE WEAVER
◊ SWIFTLET
◊ WOOD-PECKER

17 Ornithologists

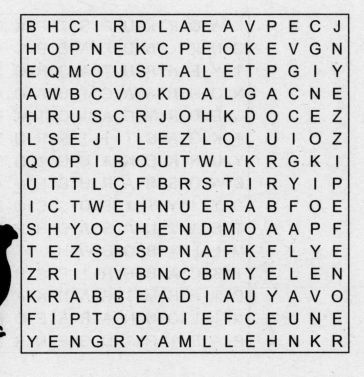

B	H	C	I	R	D	L	A	E	A	V	P	E	C	J
H	O	P	N	E	K	C	P	E	O	K	E	V	G	N
E	Q	M	O	U	S	T	A	L	E	T	P	G	I	Y
A	W	B	C	V	O	K	D	A	L	G	A	C	N	E
H	R	U	S	C	R	J	O	H	K	D	O	C	E	Z
L	S	E	J	I	L	E	Z	L	O	L	U	I	O	Z
Q	O	P	I	B	O	U	T	W	L	K	R	G	K	I
U	T	T	L	C	F	B	R	S	T	I	R	Y	I	P
I	C	T	W	E	H	N	U	E	R	A	B	F	O	E
S	H	Y	O	C	H	E	N	D	M	O	A	A	P	F
T	E	Z	S	B	S	P	N	A	F	K	F	L	Y	E
Z	R	I	I	V	B	N	C	B	M	Y	E	L	E	N
K	R	A	B	B	E	A	D	I	A	U	Y	A	V	O
F	I	P	T	O	D	D	I	E	F	C	E	U	N	E
Y	E	N	G	R	Y	A	M	L	L	E	H	N	K	R

◊ ABBOTT
◊ AHLQUIST
◊ ALDRICH
◊ CAMARGO
◊ CHERRIE
◊ DUBOIS
◊ FALLA
◊ FORSTER
◊ FRISCH
◊ GADOW
◊ GLADKOV
◊ HELLMAYR
◊ KOENIG
◊ KOEPCKE
◊ KOLLIBAY
◊ KRABBE
◊ MCCLURE
◊ NEUMANN
◊ NICOLL
◊ ODDIE
◊ OUSTALET
◊ PHELPS
◊ PIZZEY
◊ REICHEN-BACH

18 Game Birds

L	W	O	F	R	U	P	S	T	P	K	N	M	L	W
G	N	Z	L	W	O	F	A	E	P	C	A	A	I	O
I	Y	E	K	R	U	T	A	S	R	O	N	V	A	C
N	Q	N	L	A	W	C	T	U	A	C	A	L	U	T
U	E	N	R	M	O	A	I	O	I	W	P	W	Q	I
P	K	G	A	C	T	I	I	R	R	O	O	O	J	Y
Y	U	N	K	C	N	A	U	G	I	N	G	F	E	L
S	W	O	S	S	A	R	U	C	E	S	A	A	D	W
O	Y	J	Y	I	X	L	D	C	C	O	R	E	O	O
T	E	W	T	N	A	S	A	E	H	P	T	N	P	F
M	L	L	Y	B	O	B	W	H	I	T	E	I	A	B
T	K	C	A	B	E	R	I	F	C	B	X	U	G	U
P	T	A	R	M	I	G	A	N	K	A	W	G	E	R
N	I	L	O	C	N	A	R	F	E	O	H	I	M	C
P	A	R	T	R	I	D	G	E	N	R	Y	C	G	S

◊ ARGUS
◊ BOBWHITE
◊ CHACHALACA
◊ CURASSOW
◊ FIREBACK
◊ FRANCOLIN
◊ GROUSE
◊ GUAN
◊ GUINEAFOWL
◊ MALEO
◊ MEGAPODE
◊ PARTRIDGE
◊ PEACOCK
◊ PEAFOWL
◊ PHEASANT
◊ PRAIRIE CHICKEN
◊ PTARMIGAN
◊ QUAIL
◊ SCRUBFOWL
◊ SNOWCOCK
◊ SPURFOWL
◊ TRAGOPAN
◊ TURKEY
◊ WAIGEO

19 Birds of Europe

D	A	T	G	H	N	R	E	T	T	I	B	J	R	A
E	H	S	E	M	C	W	H	I	N	C	H	A	T	E
H	M	E	Y	A	P	T	W	R	M	M	U	F	H	L
R	A	R	E	H	C	T	A	C	R	E	T	S	Y	O
E	K	C	O	O	T	E	G	H	S	R	G	Y	G	C
L	W	D	F	X	O	A	P	S	T	I	A	R	Z	N
B	A	L	Z	F	N	L	B	A	Z	U	B	I	E	I
R	H	O	Y	N	O	H	O	N	K	S	N	I	L	T
A	T	G	E	V	A	G	C	D	B	A	W	I	E	A
W	H	T	E	F	N	E	K	G	H	S	Q	A	G	R
Q	G	R	V	I	W	R	L	R	J	E	W	S	N	P
R	I	S	M	E	F	X	H	O	O	Z	R	I	E	T
Q	N	A	V	G	X	H	O	U	I	T	C	O	F	B
C	L	O	N	I	K	S	I	S	B	R	S	O	N	T
F	D	A	K	P	A	Q	U	E	O	P	O	O	H	K

◊ BLACK STORK

◊ BLACK SWAN

◊ CATTLE EGRET

◊ CHIMNEY SWIFT

◊ COLLARED PRATINCOLE

◊ EURASIAN COOT

◊ EURASIAN GOLDEN ORIOLE

◊ EURASIAN HOOPOE

◊ EURASIAN NUTHATCH

◊ EURASIAN OYSTER-CATCHER

◊ EURASIAN SISKIN

◊ GLOSSY IBIS

◊ GOLDCREST

◊ GREATER FLAMINGO

◊ LAUGHING DOVE

◊ LITTLE BITTERN

◊ NIGHTHAWK

◊ NORTHERN GANNET

◊ PIN-TAILED SANDGROUSE

◊ PURPLE HERON

◊ SEDGE WARBLER

◊ SNOWY PLOVER

◊ WATER RAIL

◊ WHINCHAT

All About Owls

A	O	Y	M	G	Y	P	E	L	A	S	D	J	E	Y
F	H	G	H	D	E	G	G	E	L	E	R	A	B	D
T	A	T	I	A	L	A	M	I	R	P	W	M	Q	E
A	L	E	S	V	D	J	L	R	F	Q	L	A	J	K
N	M	I	A	O	E	D	A	I	H	I	D	I	C	S
O	A	T	O	G	I	B	S	Z	T	O	C	C	L	A
R	H	A	N	W	L	H	M	T	J	L	R	A	B	M
I	E	W	H	A	L	E	L	A	J	C	O	N	G	O
E	R	B	O	I	E	E	T	A	R	A	Z	U	E	K
N	A	K	O	O	B	O	O	B	Q	E	R	Y	E	D
T	O	H	K	S	D	A	C	X	T	H	S	E	A	S
A	N	X	O	I	N	S	C	R	E	E	C	H	S	P
L	I	O	U	B	A	I	L	A	T	M	L	A	L	O
Y	T	R	J	K	B	D	W	H	D	T	R	W	O	C
Y	G	N	I	K	R	A	B	N	F	G	M	W	O	S

◊ BAND-BELLIED
◊ BARE-LEGGED
◊ BARKING
◊ BARRED
◊ BOOBOOK
◊ CONGO
◊ EAGLE
◊ FISH
◊ GRASS
◊ HALMAHERA
◊ HORNED
◊ JAMAICAN
◊ LITTLE
◊ MALAITA
◊ MASKED
◊ ORIENTAL
◊ OWLET
◊ PYGMY
◊ SCOPS
◊ SCREECH
◊ SERAM
◊ SOOTY
◊ TALIABU
◊ WOOD

Bird Mascots

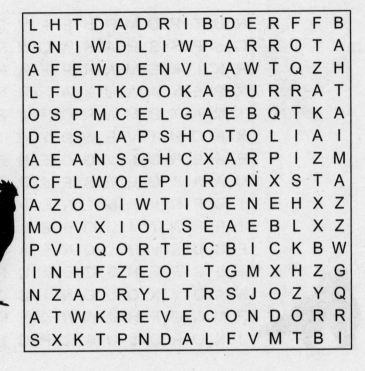

L	H	T	D	A	D	R	I	B	D	E	R	F	F	B
G	N	I	W	D	L	I	W	P	A	R	R	O	T	A
A	F	E	W	D	E	N	V	L	A	W	T	Q	Z	H
L	F	U	T	K	O	O	K	A	B	U	R	R	A	T
O	S	P	M	C	E	L	G	A	E	B	Q	T	K	A
D	E	S	L	A	P	S	H	O	T	O	L	I	A	I
A	E	A	N	S	G	H	C	X	A	R	P	I	Z	M
C	F	L	W	O	E	P	I	R	O	N	X	S	T	A
A	Z	O	O	I	W	T	I	O	E	N	E	H	X	Z
M	O	V	X	I	O	L	S	E	A	E	B	L	X	Z
P	V	I	Q	O	R	T	E	C	B	I	C	K	B	W
I	N	H	F	Z	E	O	I	T	G	M	X	H	Z	G
N	Z	A	D	R	Y	L	T	R	S	J	O	Z	Y	Q
A	T	W	K	R	E	V	E	C	O	N	D	O	R	R
S	X	K	T	P	N	D	A	L	F	V	M	T	B	I

◊ ALICE THE EAGLE
◊ BIG RED
◊ BLITZ
◊ BOOM
◊ CHUCK THE CONDOR
◊ FOOTIX
◊ FREDBIRD
◊ FREDDIE FALCON
◊ GALO-DA-CAMPINA
◊ HARRY THE HAWK
◊ MURRAY THE MAGPIE
◊ NIXIE
◊ OLLY THE KOOKABURRA
◊ PIERRE THE PELICAN
◊ PIRATE PARROT
◊ POE
◊ ROOSTER
◊ SCREECH
◊ SLAPSHOT
◊ SNOWLETS
◊ SWOOP
◊ TAIMA
◊ THE ORIOLE BIRD
◊ WILD WING

22 Flock Names – Part One

N	U	T	P	U	M	R	H	E	L	V	E	M	T	B
O	U	P	S	S	R	A	K	A	O	Y	R	O	E	A
R	K	L	K	E	M	A	R	P	E	A	N	C	E	L
X	P	E	Y	A	W	U	X	A	H	K	N	L	E	L
I	N	A	T	D	M	W	R	C	T	A	E	M	T	E
X	R	O	N	T	V	E	W	D	Y	H	I	U	N	T
P	P	E	R	D	L	V	G	O	E	H	O	N	E	N
U	A	A	E	D	E	E	B	E	C	R	F	N	M	Y
I	D	P	N	V	A	M	L	N	L	V	H	C	A	R
I	B	R	W	T	A	U	O	B	E	L	H	E	I	T
P	C	U	E	L	H	L	Q	N	B	A	O	T	L	I
Y	L	C	F	H	H	E	C	S	I	O	F	C	R	D
W	A	U	V	X	Q	U	O	N	I	U	G	X	A	N
R	M	N	G	F	H	A	W	N	O	F	M	M	P	A
J	N	O	R	D	L	U	A	C	P	C	L	Y	S	B

◊ BALLET
◊ BANDITRY
◊ CAULDRON
◊ CHAIN
◊ CHARM
◊ CHIME
◊ COLLEGE
◊ CONCLAVE
◊ FLAMBOYANCE
◊ GOBBLE
◊ GULP
◊ HERD
◊ KETTLE
◊ KNOT
◊ MARATHON
◊ MURAL
◊ MURDER
◊ PANDEMONIUM
◊ PANTHEON
◊ PARLIAMENT
◊ PRAYER
◊ RACE
◊ SQUADRON
◊ WAKE

23 Birds Beginning with "I"

I	R	E	T	O	S	E	K	A	Q	N	X	X	U	E
Q	R	E	N	I	L	L	E	B	A	S	I	A	B	W
L	I	U	T	Y	U	T	V	I	T	Y	S	A	E	B
V	T	X	T	A	L	S	D	M	I	I	R	Y	G	M
E	A	S	D	I	I	N	R	A	R	V	W	O	S	O
S	T	A	C	N	I	D	A	I	F	K	I	I	V	T
E	I	C	E	I	M	P	E	R	I	A	L	O	I	I
N	A	C	O	T	I	X	A	M	L	I	Z	N	F	I
I	I	X	T	P	A	G	N	I	R	I	I	O	H	N
H	A	T	H	E	Y	N	W	E	N	E	D	O	A	B
C	V	I	F	J	R	Z	R	J	X	L	T	D	H	Q
O	S	K	I	N	D	I	G	O	P	J	A	N	C	A
D	H	E	I	L	L	Y	N	W	N	B	U	N	I	R
N	T	A	R	Z	X	W	F	E	I	I	M	U	D	I
I	L	G	O	G	U	A	I	S	L	A	N	D	W	E

◊ IAGO SPARROW
◊ IBADAN MALIMBE
◊ ICTERINE GREENBUL
◊ IFRITA
◊ I'IWI
◊ IMPERIAL SNIPE
◊ INCA WREN
◊ INDIAN PITTA
◊ INDIGO SWIFTLET
◊ INDOCHINESE CUCKOO-SHRIKE
◊ INLAND DOTTEREL
◊ INORNATE WARBLER
◊ INTER-MEDIATE PARAKEET
◊ IPHIS MONARCH
◊ IRAQ BABBLER
◊ IRINGA AKALAT
◊ IRIS LORIKEET
◊ ISABELLINE WATERHEN
◊ ISLAND CANARY
◊ ITATIAIA THISTLETAIL
◊ ITOMBWE FLYCATCHER
◊ ITURI BATIS
◊ IVORY GULL
◊ IZU THRUSH

24 Migratory Birds

G	E	L	G	A	E	D	L	A	B	K	H	A	N	R
N	O	C	N	U	J	D	E	Y	E	K	R	A	D	I
I	U	Y	G	P	R	U	B	Y	T	H	R	O	A	T
T	S	P	O	O	N	B	I	L	L	E	D	X	T	Y
N	V	S	A	N	D	P	I	P	E	R	O	T	R	S
U	K	L	O	V	Q	W	E	L	L	O	P	D	E	R
B	W	B	R	G	F	L	I	P	K	C	R	A	N	E
L	L	H	Z	G	I	O	E	T	R	R	B	A	A	R
A	W	W	L	C	E	R	B	F	E	V	I	T	W	E
C	O	T	A	V	E	U	L	L	I	S	E	O	R	D
K	Y	N	Z	G	L	K	B	L	R	R	L	N	Y	S
C	W	U	R	B	T	R	I	H	R	L	Q	K	N	H
A	O	I	U	Z	A	A	Z	R	A	N	C	D	E	A
P	N	L	Y	W	B	J	I	W	H	S	U	E	C	N
E	S	N	R	E	T	Y	S	L	C	S	V	R	K	K

◊ BALD EAGLE

◊ BLACKCAP

◊ BULBUL

◊ BUNTING

◊ CRANE

◊ DARK-EYED JUNCO

◊ GODWIT

◊ HARRIER

◊ PELICAN

◊ PEREGRINE

◊ RED KNOT

◊ REDPOLL

◊ REDSHANK

◊ RUBYTHROAT

◊ SANDPIPER

◊ SHRIKE

◊ SNOWY OWL

◊ SPOONBILL

◊ STORK

◊ SWALLOW

◊ TERN

◊ WAGTAIL

◊ WARBLER

◊ WRYNECK

25 Bird Anatomy

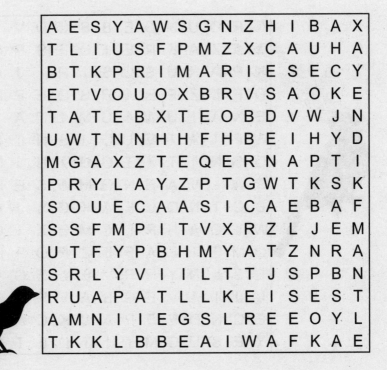

A	E	S	Y	A	W	S	G	N	Z	H	I	B	A	X
T	L	I	U	S	F	P	M	Z	X	C	A	U	H	A
B	T	K	P	R	I	M	A	R	I	E	S	E	C	Y
E	T	V	O	U	O	X	B	R	V	S	A	O	K	E
T	A	T	E	B	X	T	E	O	B	D	V	W	J	N
U	W	T	N	N	H	H	F	H	B	E	I	H	Y	D
M	G	A	X	Z	T	E	Q	E	R	N	A	P	T	I
P	R	Y	L	A	Y	Z	P	T	G	W	T	K	S	K
S	O	U	E	C	A	A	S	I	C	A	E	B	A	F
S	S	F	M	P	I	T	V	X	R	Z	L	J	E	M
U	T	F	Y	P	B	H	M	Y	A	T	Z	N	R	A
S	R	L	Y	V	I	I	L	T	T	J	S	P	B	N
R	U	A	P	A	T	L	L	K	E	I	S	E	S	T
A	M	N	I	I	E	G	S	L	R	E	E	O	Y	L
T	K	K	L	B	B	E	A	I	W	A	F	K	A	E

◊ BEAK
◊ BELLY
◊ BILL
◊ BREAST
◊ BURSA
◊ CLAW
◊ COVERTS
◊ EYE STRIPE
◊ FEATHER
◊ FEET
◊ FLANK
◊ FOVEA
◊ HEAD
◊ IRIS
◊ KIDNEY
◊ MANTLE
◊ PRIMARIES
◊ ROSTRUM
◊ RUMP
◊ TARSUS
◊ TIBIA
◊ VENT
◊ WATTLE
◊ WING

26 Types of Tit

G	R	O	U	N	D	E	B	S	C	D	V	I	E	R
X	A	Z	A	K	R	E	I	O	E	S	R	C	O	E
K	P	A	R	U	S	C	S	I	R	I	J	A	D	P
D	F	L	Z	P	H	W	R	S	O	E	P	N	E	I
E	N	A	I	U	W	A	U	M	I	T	A	I	L	N
W	F	I	A	I	V	L	O	J	S	H	E	L	D	U
O	G	N	L	T	T	T	C	U	I	U	J	O	I	J
R	W	L	V	A	E	N	O	M	W	S	E	R	R	R
B	O	T	N	Q	U	E	A	K	O	S	J	A	B	C
W	L	Q	A	H	R	L	L	M	E	X	I	C	A	N
O	M	E	I	E	A	F	B	Z	P	O	P	H	M	A
L	S	L	N	Y	R	R	V	E	L	E	G	A	N	T
L	J	I	A	V	E	G	B	A	F	R	I	C	A	N
E	C	N	D	E	P	P	A	C	K	C	A	L	B	J
Y	E	S	U	O	M	T	I	T	D	E	T	F	U	T

◊ AFRICAN
◊ AZURE
◊ BLACK-CAPPED
◊ BOREAL
◊ BRIDLED
◊ CAROLINA
◊ CINEREOUS
◊ COAL
◊ ELEGANT
◊ GREAT
◊ GROUND
◊ HIMALAYAN
◊ IRIOMOTE
◊ JUNIPER
◊ MEXICAN
◊ OAK
◊ PARUS
◊ SICHUAN
◊ SOMBRE
◊ SULTAN
◊ TUFTED TITMOUSE
◊ VARIED
◊ WILLOW
◊ YELLOW-BROWED

27 Corvids

A	N	S	U	E	R	O	S	I	R	E	P	K	Y	S
E	A	G	A	R	R	U	L	U	S	G	C	A	U	B
N	T	S	R	O	W	E	C	I	E	Y	J	O	O	A
F	T	I	O	Y	I	O	A	E	A	O	E	F	R	G
E	I	K	F	C	R	G	R	N	T	C	L	A	E	A
P	C	N	F	V	G	N	O	C	A	O	M	O	K	R
I	O	E	U	N	E	L	I	L	H	O	J	R	C	F
A	R	S	A	V	Y	L	O	U	C	A	U	U	A	I
P	D	B	A	C	E	I	K	O	C	R	Y	H	R	C
I	N	R	A	R	V	U	L	K	O	U	G	M	C	U
A	E	T	U	F	T	E	D	C	C	U	W	O	T	N
C	D	Y	B	G	H	A	I	A	O	B	G	J	U	E
L	I	V	W	P	W	S	T	H	F	X	F	S	N	H
H	S	N	A	W	S	A	C	M	A	G	P	I	E	V
P	E	R	M	A	N	E	I	P	E	E	R	T	M	G

◊ APHELOCOMA
◊ BANGGAI
◊ BORNEAN TREEPIE
◊ CAYENNE JAY
◊ CHOUGH
◊ COLOEUS
◊ CORVUS
◊ CYANOLYCA
◊ DENDROCITTA
◊ FOREST RAVEN
◊ GARRULUS
◊ IBERIAN MAGPIE
◊ JACKDAW
◊ NUCIFRAGA
◊ NUTCRACKER
◊ PERISOREUS
◊ PIAPIAC
◊ RELICT
◊ ROOK
◊ SOMALI CROW
◊ TUFTED
◊ UROCISSA
◊ VIOLACEOUS
◊ YUCATAN

28 Rhymes with "Swallow"

W	W	O	E	C	P	B	O	O	O	U	W	C	E	Z
O	O	F	U	W	X	S	Y	M	G	F	W	A	O	O
R	C	B	O	O	M	O	C	Z	N	T	V	L	T	R
E	U	L	X	W	W	O	K	K	O	A	R	M	P	C
G	B	F	Y	O	O	W	R	G	B	T	R	O	I	L
D	W	O	E	L	R	D	M	G	N	R	S	R	T	E
E	O	L	L	L	T	X	A	C	E	I	I	R	O	V
H	L	P	L	A	E	K	R	H	I	L	G	O	N	W
T	L	I	O	C	M	F	R	I	S	H	L	W	P	N
T	O	R	W	N	O	T	O	E	H	E	R	A	R	T
U	F	W	G	O	F	R	W	J	W	O	L	L	E	B
O	Z	F	M	E	V	K	E	O	W	A	L	K	S	E
W	Y	Z	I	Z	M	O	Z	Z	F	A	V	V	T	A
N	I	O	O	H	A	L	T	H	O	U	G	H	O	U
G	T	E	Y	W	O	R	G	T	U	O	L	O	W	E

◊ ALLEGRO
◊ ALTHOUGH
◊ BEAU
◊ BELLOW
◊ BLOW
◊ BONGO
◊ CALLOW
◊ FOLLOW
◊ GINGKO
◊ GIZMO
◊ HEDGEROW
◊ MARROW
◊ METRO
◊ MORROW
◊ NARROW
◊ OUTGROW
◊ OXBOW
◊ PRESTO
◊ SHADOW
◊ TIPTOE
◊ VELCRO
◊ YELLOW
◊ YO-YO
◊ ZERO

29 Birds Beginning with "P"

P	O	S	A	V	N	P	A	N	E	F	A	P	Y	F
I	P	I	D	S	O	O	E	P	U	T	K	P	M	P
W	A	E	I	H	E	E	I	L	I	N	E	L	G	A
Q	F	H	N	Q	G	C	S	P	I	P	A	A	Y	R
D	E	I	P	I	I	O	I	P	O	C	E	I	P	D
L	E	R	T	E	P	P	K	Y	R	I	A	N	X	U
E	A	P	A	L	M	C	H	A	T	L	P	N	P	S
L	R	A	E	P	O	O	U	L	I	V	E	P	A	C
P	O	Y	C	C	A	N	P	L	U	O	N	D	U	O
U	P	V	A	A	U	P	A	P	I	E	G	H	R	P
A	G	E	U	P	I	P	L	P	L	L	U	O	A	I
I	P	J	X	F	N	P	A	C	I	F	I	C	Q	P
O	P	L	U	S	H	C	A	P	N	I	N	C	U	I
H	S	P	A	V	H	Y	U	I	R	P	A	N	E	P
I	P	E	A	P	I	P	A	O	P	I	A	P	G	I

◊ PACIFIC BAZA
◊ PALILA
◊ PALMCHAT
◊ PARDUSCO
◊ PAURAQUE
◊ PEACOCK
◊ PEARL KITE
◊ PELICAN
◊ PENGUIN
◊ PETREL
◊ PIAPIAC
◊ PIED CROW
◊ PIGEON
◊ PINE BUNTING
◊ PINK ROBIN
◊ PIOPIO
◊ PIPIPI
◊ PIPIT
◊ PLAIN WREN
◊ PLUSHCAP
◊ POO-ULI
◊ PUAIOHI
◊ PUNA TEAL
◊ PYGMY TIT

30 Endangered Birds

H	Q	W	P	L	C	V	E	R	E	V	O	L	P	A
A	D	W	A	U	M	B	Y	Z	U	S	O	S	A	H
V	Z	B	C	C	A	L	Y	P	T	U	R	A	L	J
A	F	K	M	R	A	B	U	L	L	F	I	N	C	H
C	O	I	K	A	U	M	F	N	O	M	T	S	V	W
O	C	A	R	N	I	G	H	T	J	A	R	E	B	M
H	G	O	T	E	P	K	T	Z	K	M	P	Q	R	A
U	I	I	N	Q	C	E	A	E	Q	U	V	T	Z	N
R	N	I	D	D	E	R	K	K	F	T	W	T	Z	A
G	Z	B	P	K	O	E	O	F	A	A	E	T	N	K
T	A	N	A	G	E	R	I	W	R	P	V	L	G	I
L	P	R	R	A	U	N	G	B	N	R	O	D	W	N
E	A	K	R	Q	J	F	L	O	R	I	C	A	N	O
P	Y	T	O	G	Y	E	M	U	R	R	E	L	E	T
W	C	P	T	Y	R	L	G	A	K	I	K	I	K	I

◊ AKEKEE
◊ AKIKIKI
◊ BULLFINCH
◊ BUNTING
◊ CALYPTURA
◊ CONDOR
◊ CRANE
◊ CUCKOO
◊ FIRECROWN
◊ FLORICAN
◊ KAGU
◊ KAKAPO
◊ MACAW
◊ MANAKIN
◊ MURRELET
◊ NIGHTJAR
◊ OWLET
◊ PARAKEET
◊ PARROT
◊ PLOVER
◊ PUFFIN
◊ TANAGER
◊ TERN
◊ WARBLER

31 Birds of Africa

U	V	E	R	G	C	Y	O	O	E	B	U	C	N	R
F	W	U	E	I	N	U	O	T	F	I	W	S	F	E
M	H	S	L	N	F	I	S	H	E	A	G	L	E	V
B	I	E	L	T	K	X	L	O	V	R	U	K	W	O
T	M	C	O	K	U	K	O	R	I	O	L	E	R	L
N	B	R	R	L	H	R	C	C	E	N	K	S	E	P
A	R	E	I	I	T	C	E	I	R	D	W	T	O	B
R	E	T	O	A	O	U	I	N	H	A	N	G	O	A
O	L	A	L	T	O	K	I	R	L	T	N	A	A	R
M	T	R	O	F	F	L	Y	L	T	I	M	E	S	C
R	A	Y	I	F	N	S	O	G	M	S	T	O	R	K
O	A	B	W	U	I	W	M	A	L	K	O	H	A	R
C	E	I	D	L	F	L	L	I	B	N	R	O	H	U
W	H	R	L	F	O	F	E	M	A	S	K	D	L	F
O	D	D	S	V	D	R	I	B	E	S	U	O	M	F

◊ AFRICAN FINFOOT
◊ AFRICAN FISH EAGLE
◊ BLUE MALKOHA
◊ CRAB-PLOVER
◊ DUNLIN
◊ EURASIAN GOLDEN ORIOLE
◊ FLAMINGO
◊ GREAT CORMORANT
◊ GREY-CROWNED CRANE
◊ HOODED VULTURE
◊ LESSER-STRIPED SWALLOW
◊ LILAC-BREASTED ROLLER
◊ NKULENGU RAIL
◊ OSTRICH
◊ RUFF
◊ SANDERLING
◊ SCARCE SWIFT
◊ SECRETARY-BIRD
◊ SILVERY-CHEEKED HORNBILL
◊ STRIPED FLUFFTAIL
◊ WATER THICK-KNEE
◊ WHIMBREL
◊ WHITE-HEADED MOUSEBIRD
◊ YELLOW-BILLED STORK

32 Excerpt from *The Ugly Duckling* by Hans Christian Andersen

D	D	R	A	Y	Y	R	T	L	U	O	P	D	G	F
L	E	R	E	G	A	M	U	L	P	O	U	N	L	S
E	N	I	V	R	U	C	R	E	O	C	I	E	H	T
H	E	L	M	G	F	E	R	R	K	W	S	K	C	A
E	T	C	L	A	T	Q	E	S	O	M	R	L	A	T
B	S	Y	L	N	G	P	F	B	I	A	O	M	O	E
Y	A	E	I	E	U	E	F	H	D	N	R	W	R	L
G	H	W	R	L	A	Q	U	R	G	G	A	Q	P	Y
W	N	A	S	V	M	R	S	E	C	R	B	D	P	D
A	V	I	C	J	A	Y	R	H	D	A	E	H	A	E
T	V	T	L	R	T	N	T	S	K	L	T	F	E	P
E	W	E	U	L	T	A	T	Y	L	F	T	L	K	P
R	G	D	M	D	E	K	C	I	K	E	E	E	C	A
C	K	Z	S	D	R	W	K	K	R	M	R	W	E	N
T	L	A	Y	O	R	U	S	N	A	W	S	D	P	S

"I WILL FLY TO THEM, THESE ROYAL BIRDS, AND THEY WILL PECK ME TO DEATH BECAUSE I, WHO AM SO UGLY, DARE TO APPROACH THEM; BUT IT DOESN'T MATTER; IT'S BETTER TO BE KILLED BY THEM THAN TO BE SNAPPED AT BY THE DUCKS AND PECKED AT BY HENS AND KICKED BY THE SERVANT WHO LOOKS AFTER THE POULTRY-YARD, AND SUFFER ALL THE WINTER." SO HE FLEW OUT INTO THE OPEN WATER AND SWAM TOWARDS THE STATELY SWANS, AND THEY SAW HIM AND HASTENED WITH SWELLING PLUMAGE TO MEET HIM. "YES, KILL ME," THE POOR CREATURE SAID, BOWING HIS HEAD DOWN TO THE WATER, AND WAITED FOR DEATH. BUT WHAT DID HE SEE IN THE CLEAR WATER? HE BEHELD HIS OWN IMAGE, BUT IT WAS NO LONGER THAT OF A CLUMSY DARK GREY BIRD, UGLY AND REPULSIVE. HE WAS A SWAN HIMSELF.

33 Birds Believed to be Symbols or Omens

E	E	D	A	K	C	I	H	C	Y	E	T	K	K	T
I	R	Y	Q	N	D	R	B	M	A	G	P	I	E	I
U	S	L	F	O	W	C	E	R	U	T	L	U	V	F
Q	N	D	V	T	Z	O	A	A	G	R	K	B	V	L
P	V	E	Z	K	L	E	R	N	B	Y	D	V	Q	A
R	E	S	K	V	R	O	L	C	A	R	U	X	B	M
A	T	A	P	C	B	O	K	G	I	R	W	I	L	I
V	J	A	C	I	I	K	T	B	A	A	Y	N	U	N
E	X	B	N	O	B	H	G	S	C	E	S	E	E	G
N	U	Z	X	C	C	N	C	A	I	T	I	O	B	O
H	E	R	O	N	I	K	M	E	O	U	P	H	I	G
H	C	F	Q	K	Z	B	F	R	N	T	W	P	R	X
F	A	L	C	O	N	Q	R	J	T	A	U	E	D	X
B	Q	O	W	B	L	A	C	K	B	I	R	D	R	N
Z	M	Q	H	J	P	E	L	I	C	A	N	C	F	E

◊ BLACKBIRD
◊ BLUEBIRD
◊ CANARY
◊ CHICKADEE
◊ CHICKEN
◊ CRANE
◊ CROW
◊ DOVE
◊ EAGLE
◊ FALCON
◊ FLAMINGO
◊ GEESE
◊ HERON
◊ MACAW
◊ MAGPIE
◊ MOCKING-BIRD
◊ PARROT
◊ PEACOCK
◊ PELICAN
◊ PHOENIX
◊ RAVEN
◊ ROBIN
◊ STORK
◊ VULTURE

34 Bird-related Words in the Bible

E	E	G	D	I	R	T	R	A	P	H	E	N	R	N
A	T	L	N	P	C	G	G	O	P	I	G	E	O	N
G	M	L	W	S	F	H	S	E	F	C	K	V	O	V
L	N	O	R	E	H	A	I	B	Y	L	M	A	S	P
E	T	G	Q	U	A	I	L	C	O	A	K	R	T	T
V	N	X	O	O	K	C	U	C	K	W	A	H	E	X
O	A	S	W	A	L	L	O	W	O	S	L	P	R	E
J	R	T	I	P	S	N	E	V	G	N	E	E	N	R
H	O	O	P	O	E	P	O	E	I	L	P	Z	T	U
G	M	N	T	E	B	S	E	G	I	K	F	B	O	T
W	R	T	S	A	T	V	N	C	G	B	X	A	K	L
I	O	K	W	R	N	E	A	P	K	V	K	R	J	U
N	C	V	I	E	S	N	V	R	L	L	O	I	C	V
G	A	C	U	T	R	M	G	E	Y	T	E	X	O	C
S	H	Y	S	W	E	Y	A	Y	S	Y	D	D	V	W

◊ CHICKS
◊ CLAWS
◊ CORMORANT
◊ EAGLE
◊ FALCON
◊ HAWK-CUCKOO
◊ HERON
◊ HOOPOE
◊ KITE
◊ NESTS
◊ OSTRICH
◊ OWLET
◊ PARTRIDGE
◊ PELICAN
◊ PIGEON
◊ PREY
◊ QUAIL
◊ RAVEN
◊ ROOSTER
◊ SPECKLED
◊ STORK
◊ SWALLOW
◊ VULTURE
◊ WINGS

Birds Hidden in Other Words

S	W	A	G	N	O	S	N	A	W	S	D	W	L	N
E	L	G	A	E	B	L	E	B	W	C	M	S	A	M
B	D	N	I	G	H	T	H	A	W	K	I	T	E	F
E	T	U	T	I	T	S	N	O	C	C	C	G	P	B
N	E	G	C	J	Z	K	F	D	E	I	R	N	K	O
C	H	C	T	K	Y	E	G	D	E	T	O	I	C	W
E	O	R	N	Q	B	U	C	T	K	N	W	B	I	L
T	S	N	L	E	V	O	E	W	M	E	A	O	H	I
I	U	W	T	T	H	G	A	U	A	H	V	R	C	N
T	O	E	I	R	N	H	I	R	H	T	E	S	C	G
E	N	T	U	I	A	N	N	J	D	U	I	I	C	L
P	E	J	K	M	A	V	H	M	B	A	F	D	W	K
P	V	R	O	T	L	T	E	R	A	B	W	O	R	C
A	A	T	I	B	W	R	E	N	C	H	H	L	J	L
L	R	T	X	W	W	O	R	C	E	R	A	C	S	A

◊ APPE**TIT**E

◊ AUT**HEN**TIC

◊ **B**E**AGLE**

◊ BO**WL**ING

◊ **CHICK**PEA

◊ CONS**TIT**UTE

◊ CONT**RAVEN**E

◊ **CRANE**D

◊ **CROW**BAR

◊ DIS**ROBIN**G

◊ **DUCK**BOARD

◊ **HEN**CE

◊ H**OWL**

◊ **LARK**ING

◊ MI**CROW**AVE

◊ NIGHT**HAWK**

◊ PE**TIT**

◊ **RAVEN**OUS

◊ SCARE**CROW**

◊ **SWAN**KY

◊ **SWAN**SONG

◊ **TIT**ANIUM

◊ TOMA**HAWK**

◊ **WREN**CH

36 Rhymes with "Shrike"

E	G	Z	I	B	Q	G	H	E	K	I	L	G	O	D
S	K	R	E	S	U	C	H	L	I	K	E	W	Y	E
A	V	I	S	P	I	K	E	X	C	C	S	O	Z	E
R	P	E	L	E	P	X	T	H	S	A	E	R	E	K
O	V	E	R	S	T	R	I	K	E	U	Q	K	I	I
L	U	E	L	B	I	L	F	L	H	S	I	M	E	M
O	N	K	I	I	D	D	W	O	C	L	G	A	K	S
O	L	Y	U	L	K	A	P	N	Y	U	O	N	I	H
K	I	D	I	S	V	E	J	D	S	N	D	L	H	U
A	K	K	T	E	H	W	A	I	P	A	L	I	N	N
L	E	K	L	T	K	L	Z	K	U	L	I	K	E	P
I	P	I	Y	U	H	B	C	E	G	I	K	E	D	I
K	K	K	X	Z	J	Z	F	B	Q	K	E	R	E	K
E	E	X	E	K	I	L	Y	L	L	E	J	K	V	E
E	K	I	L	E	F	I	L	L	E	K	I	L	Y	K

◊ APELIKE
◊ CHILDLIKE
◊ DISLIKE
◊ DOGLIKE
◊ DYKE
◊ GODLIKE
◊ HIKE
◊ JELLYLIKE
◊ KLONDIKE
◊ LADYLIKE
◊ LIFELIKE
◊ LOOKALIKE
◊ MIKE
◊ OVERSTRIKE
◊ PSYCH
◊ REICH
◊ SHUNPIKE
◊ SPIKE
◊ SUCHLIKE
◊ TYKE
◊ UNALIKE
◊ UNLIKE
◊ WAVELIKE
◊ WORKMAN-LIKE

37 **Flightless Birds**

G	C	B	E	A	R	A	C	A	R	A	C	D	E	M
N	N	N	D	D	L	I	W	I	K	J	A	R	R	E
N	E	R	L	U	O	G	R	E	B	E	S	I	I	R
N	I	H	B	Q	C	P	K	N	H	L	I	B	A	G
O	L	G	D	B	D	K	A	R	L	I	B	T	T	A
E	Y	W	H	O	D	O	D	G	K	P	I	N	I	N
G	O	H	O	T	O	T	C	U	E	L	R	A	L	S
I	L	D	R	F	H	W	N	N	I	M	E	H	O	E
W	A	B	H	G	B	E	G	A	H	N	T	P	S	R
K	N	D	E	C	G	U	R	K	R	M	P	E	Q	U
D	A	P	I	O	I	E	R	O	A	O	A	L	A	L
V	O	E	U	N	P	R	M	C	N	K	M	E	V	L
E	M	V	V	I	W	O	T	Z	S	E	A	R	W	E
T	Y	O	N	O	J	N	O	S	F	S	O	P	O	K
W	A	S	E	Y	D	G	Q	H	O	H	Q	K	O	C

- ◊ AMSTERDAM WIGEON
- ◊ APTERIBIS
- ◊ ASCENSION NIGHT HERON
- ◊ CAMPBELL TEAL
- ◊ DODO
- ◊ ELEPHANT BIRD
- ◊ FLIGHTLESS CORMORANT
- ◊ GALAPAGOS PENGUIN
- ◊ GROUND DOVE
- ◊ JAMAICAN CARACARA
- ◊ JUNIN GREBE
- ◊ KAKAPO
- ◊ KIWI
- ◊ LORD HOWE WOODHEN
- ◊ NEW ZEALAND MERGANSER
- ◊ NOBLE MEGAPODE
- ◊ O'AHU MOA-NALO
- ◊ RHEA
- ◊ SAINT HELENA HOOPOE
- ◊ SNIPE-RAIL
- ◊ RODRIGUES SOLITAIRE
- ◊ SOMALI OSTRICH
- ◊ STEAMER DUCK
- ◊ VITI LEVU SCRUBFOWL

38 Passerines – Part One

R	E	T	A	E	T	A	N	G	J	D	G	J	R	A
O	L	U	C	A	P	A	T	H	R	L	S	R	E	N
N	I	K	A	N	A	M	K	I	Q	S	P	L	T	O
B	R	I	S	T	L	E	B	I	R	D	A	S	A	C
L	E	F	E	S	I	T	X	I	N	E	D	L	E	U
L	U	L	O	E	N	J	F	P	N	G	E	A	T	I
I	I	R	L	A	D	L	N	I	S	E	B	S	I	D
B	A	A	R	B	E	A	A	O	A	X	I	I	U	J
P	N	Y	T	M	I	P	K	G	M	S	L	T	R	D
R	T	Z	A	G	T	R	H	S	A	J	L	Y	F	D
A	P	N	Q	S	A	S	D	O	I	L	U	B	P	T
H	I	M	J	K	M	W	U	H	E	K	L	E	W	J
S	T	E	L	E	P	A	I	O	R	B	W	I	E	C
Z	T	M	R	Y	R	J	R	A	F	E	E	H	T	F
O	A	D	R	I	B	A	L	L	E	R	B	M	U	O

◊ ANTPITTA
◊ ASITY
◊ BELLBIRD
◊ BRISTLEBIRD
◊ DIUCON
◊ ELAENIA
◊ ELEPAIO
◊ FRUITEATER
◊ GALLITO
◊ GNATEATER
◊ KINGBIRD
◊ KISKADEE
◊ LARK
◊ MANAKIN
◊ MONJITA
◊ PEWEE
◊ PHOEBE
◊ RIFLEMAN
◊ SHARPBILL
◊ SPADEBILL
◊ TAPACULO
◊ TYRANTBIRD
◊ UMBRELLA BIRD
◊ WAGTAIL

39 Marine and Seabirds

X	L	S	S	W	E	T	N	A	R	O	M	R	O	C
Q	L	Z	E	H	G	Y	O	R	S	K	U	A	J	C
J	U	V	T	A	E	H	N	N	E	E	A	X	H	N
A	G	U	H	P	E	A	L	B	A	T	R	O	S	S
Z	U	S	P	B	U	A	R	E	X	G	X	R	L	R
N	G	K	F	E	Z	F	G	W	N	W	S	L	L	E
O	R	T	L	B	N	E	F	L	A	O	L	E	I	G
I	S	E	O	E	H	G	E	I	E	T	R	T	B	E
R	X	O	Y	S	T	R	U	Y	N	R	E	A	R	A
P	B	S	C	O	T	E	R	I	U	N	K	R	O	J
Y	Q	X	L	E	Y	B	Z	M	N	T	B	A	Z	K
R	S	N	P	D	R	E	I	A	W	R	M	D	A	R
I	Y	E	D	F	R	I	G	A	T	E	B	I	R	D
A	A	O	Z	D	R	I	B	C	I	P	O	R	T	V
F	N	G	U	I	L	L	E	M	O	T	O	P	Y	A

◊ AUKLET

◊ BLUE PETREL

◊ BOOBY

◊ BULLER'S SHEARWATER

◊ CALIFORNIA GULL

◊ COMMON MURRE

◊ FAIRY PRION

◊ FRIGATEBIRD

◊ GANNET

◊ GUANAY CORMORANT

◊ GUILLEMOT

◊ JUNIN GREBE

◊ KING PENGUIN

◊ NODDY

◊ PARASITIC JAEGER

◊ PUFFIN

◊ RAZORBILL

◊ SCOTER

◊ SEA EAGLE

◊ SHAG

◊ SHY ALBATROSS

◊ SKUA

◊ TERN

◊ TROPICBIRD

40 Birds in German

L	R	D	W	I	K	Y	F	L	E	N	P	L	T	P
E	W	E	P	S	F	Q	Y	R	W	Z	H	V	M	N
T	Y	V	H	I	C	B	Z	H	K	T	F	U	F	F
H	A	F	N	I	N	H	K	R	A	N	I	C	H	A
C	D	K	H	X	E	G	W	U	V	B	P	B	P	L
A	L	G	E	I	E	R	U	A	C	F	I	F	A	K
W	E	I	B	M	L	P	M	I	N	G	F	C	A	E
G	R	N	E	Z	C	S	X	C	N	S	C	R	H	U
T	A	L	E	G	E	L	I	E	G	A	P	A	P	T
W	H	N	L	L	V	G	E	I	R	A	U	Q	A	F
P	L	C	S	L	E	B	A	N	H	C	S	U	K	Y
R	B	V	E	D	B	E	M	J	V	K	B	Y	E	Q
C	K	O	F	P	W	T	F	E	D	E	R	I	Y	Y
E	U	A	L	K	S	N	K	A	R	D	I	N	A	L
T	O	K	E	L	U	E	E	N	N	E	H	R	L	X

◊ ADLER
◊ AMSEL
◊ ENTE
◊ EULE
◊ FALKE
◊ FEDER
◊ FINK
◊ GANS

◊ GEIER
◊ HABICHT
◊ HENNE
◊ HUHN
◊ KARDINAL
◊ KLAUE
◊ KRANICH
◊ PAPAGEI

◊ PFAU
◊ PINGUIN
◊ REIHER
◊ SCHNABEL
◊ SCHWAN
◊ SPECHT
◊ TAUBE
◊ WACHTEL

Anagrams of Bird Names – Part One

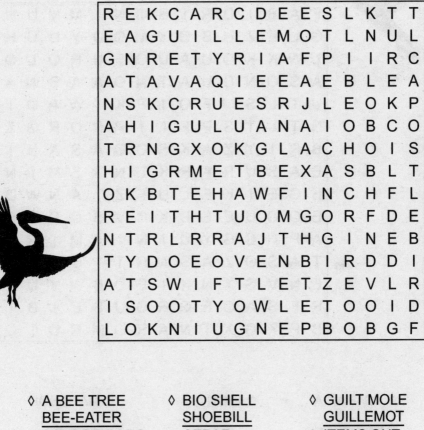

R	E	K	C	A	R	C	D	E	E	S	L	K	T	T
E	A	G	U	I	L	L	E	M	O	T	L	N	U	L
G	N	R	E	T	Y	R	I	A	F	P	I	I	R	C
A	T	A	V	A	Q	I	E	E	A	E	B	L	E	A
N	S	K	C	R	U	E	S	R	J	L	E	O	K	P
A	H	I	G	U	L	U	A	N	A	I	O	B	C	O
T	R	N	G	X	O	K	G	L	A	C	H	O	I	S
H	I	G	R	M	E	T	B	E	X	A	S	B	L	T
O	K	B	T	E	H	A	W	F	I	N	C	H	F	L
R	E	I	T	H	T	U	O	M	G	O	R	F	D	E
N	T	R	L	R	R	A	J	T	H	G	I	N	E	B
T	Y	D	O	E	O	V	E	N	B	I	R	D	D	I
A	T	S	W	I	F	T	L	E	T	Z	E	V	L	R
I	S	O	O	T	Y	O	W	L	E	T	O	O	I	D
L	O	K	N	I	U	G	N	E	P	B	O	B	G	F

◊ A BEE TREE
BEE-EATER

◊ ABLE TRIPODS
APOSTLEBIRD

◊ A COUNT
TOUCAN

◊ A GARNET
TANAGER

◊ AKA PETER
PARAKEET

◊ A PENCIL
PELICAN

◊ ASTRAL SOB
ALBATROSS

◊ BIG DRINK
KINGBIRD

◊ BIND OVER
OVENBIRD

◊ BIO SHELL
SHOEBILL

◊ CEDAR CREEKS
SEED-CRACKER

◊ EARTH SINK
ANTSHRIKE

◊ ELF TWITS
SWIFTLET

◊ ENTRY FAIR
FAIRY TERN

◊ FICKLE GRIDDLE
GILDED FLICKER

◊ GOTH FORUM
FROGMOUTH

◊ GUILT MOLE
GUILLEMOT

◊ ITEMS OUT
TITMOUSE

◊ OINK BLOB
BOBOLINK

◊ PINE GUN
PENGUIN

◊ RAJ THING
NIGHTJAR

◊ TRIATHLON
THORNTAIL

◊ WHICH FAN
HAWFINCH

◊ YOWLS TOO
SOOTY OWL

Unusual Birds

F	A	B	I	D	R	I	B	G	N	I	M	M	U	H
G	L	E	Z	U	B	G	Y	M	O	D	Y	U	U	H
L	W	K	K	O	U	A	U	O	F	U	R	O	L	O
A	S	O	N	D	U	A	T	N	O	A	A	B	W	A
U	T	L	S	M	F	O	I	P	K	I	W	A	O	T
N	T	L	T	S	P	F	A	T	P	P	O	R	G	Z
B	R	I	Y	Z	A	K	S	O	O	A	S	A	N	I
E	A	B	U	R	A	R	K	E	N	R	S	M	I	N
E	G	E	I	K	E	L	U	F	Z	T	A	N	W	D
E	O	O	U	E	E	B	K	C	V	S	C	P	O	R
A	P	H	C	G	Y	U	I	N	I	A	M	I	R	I
T	A	S	O	Z	A	S	W	R	T	I	O	D	R	B
E	N	V	G	Y	N	K	I	E	D	B	W	Y	U	L
R	F	S	A	G	E	G	R	O	U	S	E	I	B	I
B	P	K	G	X	T	N	A	R	O	M	R	O	C	O

◊ ASTRAPIA
◊ BEE-EATER
◊ BURROWING OWL
◊ CASSOWARY
◊ CORMORANT
◊ CURASSOW
◊ HOATZIN
◊ HUMMING-BIRD
◊ IBON
◊ I'IWI
◊ INCA TERN
◊ KAGU
◊ KAKAPO
◊ KEA
◊ KIWI
◊ LYREBIRD
◊ MARABOU
◊ OILBIRD
◊ PAROTIA
◊ POTOO
◊ SAGE-GROUSE
◊ SHOEBILL
◊ TRAGOPAN
◊ VOGELKOP

Birds Beginning with "G"

G	U	G	R	A	F	O	Y	G	E	M	B	R	U	G
U	I	O	L	T	O	G	G	O	S	H	A	W	K	I
G	I	O	A	T	A	R	Y	U	B	N	L	J	U	M
A	R	S	N	G	J	E	W	G	A	L	A	H	G	B
R	Y	E	G	E	V	E	R	H	G	A	B	E	L	A
G	G	T	B	U	O	N	S	G	E	N	G	A	A	G
A	V	G	R	E	A	G	L	O	W	I	N	G	U	O
R	A	M	S	G	N	I	L	S	O	G	H	I	C	A
G	O	L	D	E	N	F	A	C	E	T	L	L	O	L
A	G	R	J	O	I	G	M	B	A	L	G	D	U	A
N	L	G	I	M	I	M	S	I	E	O	O	E	S	D
E	O	A	L	A	V	G	L	M	Y	R	R	D	D	N
Y	S	Z	N	L	E	O	O	X	M	E	O	U	A	A
V	S	T	R	I	G	T	E	N	R	A	G	T	E	R
N	Y	G	C	A	T	E	N	N	A	G	E	N	E	G

- ◊ GABELA AKALAT
- ◊ GALAH
- ◊ GANNET
- ◊ GARGANEY
- ◊ GARNET PITTA
- ◊ GENTOO
- ◊ GEOMALIA
- ◊ GIANT ANTPITTA
- ◊ GILDED FLICKER
- ◊ GLAUCOUS MACAW
- ◊ GLOSSY IBIS
- ◊ GLOWING PUFFLEG
- ◊ GOLDENFACE
- ◊ GOLIATH COUCAL
- ◊ GOOSE
- ◊ GOSHAWK
- ◊ GOSLING'S APALIS
- ◊ GOUGH FINCH
- ◊ GRANDALA
- ◊ GREAT SKUA
- ◊ GREBE
- ◊ GREEN IORA
- ◊ GUAIABERO
- ◊ GUILLEMOT

44 Passerines – Part Two

D	R	I	B	E	L	T	S	I	R	B	P	Z	K	Y
F	R	E	N	I	M	L	L	E	B	I	R	D	I	A
B	D	J	Q	Y	Q	L	L	O	R	E	N	R	O	H
I	R	N	I	B	O	R	I	R	T	G	Z	I	I	N
F	I	G	B	I	R	D	B	A	P	L	X	B	E	X
E	B	S	R	E	P	E	E	R	C	E	E	R	T	S
U	R	T	G	A	L	Y	N	D	N	W	W	A	R	E
C	E	I	C	R	E	B	I	O	S	T	H	I	A	D
A	W	T	Z	N	A	F	P	L	N	C	F	R	Y	O
T	O	C	O	W	S	S	S	A	V	I	U	F	A	L
B	B	H	C	A	N	A	S	T	E	R	O	A	D	C
I	R	B	A	D	R	I	B	W	O	C	O	B	I	N
R	D	I	F	A	I	R	Y	W	R	E	N	T	T	I
D	D	R	I	B	E	R	Y	L	I	E	R	U	O	C
Q	C	D	S	D	Y	L	I	A	T	E	N	I	P	S

- ◊ ANTWREN
- ◊ BELL MINER
- ◊ BOWERBIRD
- ◊ BRISTLEBIRD
- ◊ CANASTERO
- ◊ CATBIRD
- ◊ CHAT
- ◊ CINCLODES
- ◊ COWBIRD
- ◊ FAIRY WREN
- ◊ FIGBIRD
- ◊ FRIARBIRD
- ◊ GRASSWREN
- ◊ HONEYEATER
- ◊ HORNERO
- ◊ LYREBIRD
- ◊ RAYADITO
- ◊ ROBIN
- ◊ SPINEBILL
- ◊ SPINETAIL
- ◊ STITCHBIRD
- ◊ TREE-CREEPER
- ◊ TUI
- ◊ XENOPS

45 Sports Team Names and Nicknames

R	E	D	B	I	R	D	S	N	I	U	G	N	E	P
S	L	L	U	G	A	E	S	N	A	C	I	L	E	P
S	N	E	V	A	R	N	C	A	N	A	R	I	E	S
E	S	D	A	Q	A	S	Y	A	J	E	U	L	B	H
S	V	E	S	W	H	S	K	W	A	H	A	E	S	R
S	W	C	S	D	K	S	P	S	E	N	I	B	O	R
E	K	V	S	C	R	E	E	J	P	K	E	B	Y	F
I	O	O	U	N	A	I	D	L	A	T	I	O	C	A
P	H	D	O	C	O	O	B	K	G	N	A	R	F	L
G	R	C	O	R	I	O	L	E	S	A	O	M	I	C
A	T	C	I	K	V	I	L	T	U	W	E	K	L	O
M	K	Z	X	U	G	Z	L	M	S	L	Q	A	W	N
S	T	E	E	K	A	R	A	P	I	R	B	L	E	S
U	Y	B	L	A	C	K	H	A	W	K	S	F	C	S
L	S	Y	B	D	S	R	E	T	S	O	O	R	Y	B

- ◊ ATLANTA FALCONS
- ◊ BALTIMORE ORIOLES
- ◊ BALTIMORE RAVENS
- ◊ CANARIES
- ◊ CARDIFF BLUEBIRDS
- ◊ CHICAGO BLACKHAWKS
- ◊ CROWS
- ◊ OREGON DUCKS
- ◊ NEW ORLEANS PELICANS
- ◊ PITTSBURGH PENGUINS
- ◊ REDBIRDS
- ◊ ROBINS
- ◊ SEA EAGLES
- ◊ SEATTLE SEAHAWKS
- ◊ SOUTH EAST PARAKEETS
- ◊ SWANS
- ◊ SYDNEY ROOSTERS
- ◊ TEMPLE OWLS
- ◊ THE LOONS
- ◊ THE MAGPIES
- ◊ THE ROOKS
- ◊ THE SEAGULLS
- ◊ TORONTO BLUE JAYS
- ◊ UPPER IOWA PEACOCKS

46 Bird-related Last Names

J	C	A	R	Z	L	P	O	A	E	M	S	P	K	Q
T	E	Z	N	E	M	R	H	Q	K	V	G	T	W	U
F	G	S	S	S	N	P	A	O	P	I	O	N	A	O
I	C	M	P	S	W	O	E	Q	E	Y	T	D	H	S
W	A	R	R	A	P	A	R	A	X	N	M	J	I	D
S	W	S	A	F	R	W	L	F	C	L	I	K	A	F
H	E	R	O	N	V	R	X	L	E	O	O	X	U	U
A	G	N	R	K	E	E	O	R	O	R	C	R	E	H
F	D	M	X	R	O	N	E	W	A	W	A	K	V	R
A	I	V	A	G	I	L	F	Y	K	P	M	H	E	E
D	R	N	G	R	W	U	S	E	P	I	G	Z	A	V
L	T	E	C	O	T	P	N	W	I	D	G	E	F	L
E	R	E	F	H	F	I	W	E	A	V	E	R	P	U
R	A	Y	A	L	T	B	N	D	Y	N	N	T	I	C
F	P	E	K	C	O	C	D	O	O	W	E	N	T	E

◊ ADLER
◊ AMSEL
◊ CRANE
◊ CULVER
◊ DOVE
◊ EFRON
◊ FINCH
◊ FOWLER
◊ HAWK
◊ HERON
◊ MARTIN
◊ PARTRIDGE
◊ PEACOCK
◊ PHOENIX
◊ RAPP
◊ SIKORA
◊ SOKOL
◊ SPARROW
◊ SWALLOW
◊ SWAN
◊ SWIFT
◊ WEAVER
◊ WOODCOCK
◊ WREN

47 Rhymes with "Duck"

K	C	U	K	C	U	B	H	S	U	B	V	Z	K	K
C	I	A	U	P	A	W	E	S	T	R	U	C	K	C
U	Z	E	P	O	C	H	W	U	J	P	U	V	T	U
Z	Y	K	H	T	V	Z	A	C	E	L	G	H	P	L
S	K	C	O	L	L	I	H	K	D	S	U	A	H	P
T	R	U	M	U	R	D	T	O	F	N	D	K	I	P
A	O	B	L	C	Y	Z	O	M	D	D	C	T	U	U
R	E	A	R	K	U	G	C	E	O	U	C	C	K	N
S	B	G	D	Z	C	P	R	C	H	B	K	Y	C	S
T	U	E	F	R	K	S	K	C	U	H	S	U	U	T
R	C	M	S	G	T	O	K	C	U	T	R	Y	L	U
U	K	C	U	R	T	P	U	K	C	I	P	Z	C	C
C	O	C	U	Y	O	U	N	G	B	U	C	K	N	K
K	G	C	U	D	U	M	B	S	T	R	U	C	K	Q
S	K	G	E	M	K	C	U	R	T	S	N	O	O	M

◊ AWESTRUCK
◊ BUSHBUCK
◊ CHUCK
◊ CLUCK
◊ DUMBSTRUCK
◊ EPOCH
◊ GOOD LUCK
◊ HILLOCK
◊ MEGABUCK
◊ MOON-STRUCK
◊ MUCK
◊ PADDOCK
◊ PICKUP TRUCK
◊ PLUCK
◊ POTLUCK
◊ PUCK
◊ ROEBUCK
◊ SHUCK
◊ STAR-STRUCK
◊ SUCK
◊ THUNDER-STRUCK
◊ UNSTUCK
◊ YOUNG BUCK
◊ YUCK

Anagrams of Bird Names – Part Two

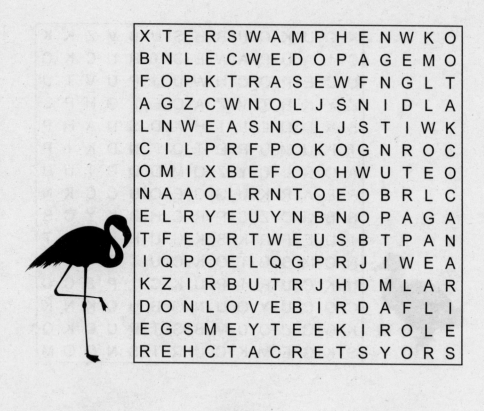

X	T	E	R	S	W	A	M	P	H	E	N	W	K	O
B	N	L	E	C	W	E	D	O	P	A	G	E	M	O
F	O	P	K	T	R	A	S	E	W	F	N	G	L	T
A	G	Z	C	W	N	O	L	J	S	N	I	D	L	A
L	N	W	E	A	S	N	C	L	J	S	T	I	W	K
C	I	L	P	R	F	P	O	K	O	G	N	R	O	C
O	M	I	X	B	E	F	O	O	H	W	U	T	E	O
N	A	A	O	L	R	N	T	O	E	O	B	R	L	C
E	L	R	Y	E	U	Y	N	B	N	O	P	A	G	A
T	F	E	D	R	T	W	E	U	S	B	T	P	A	N
I	Q	P	O	E	L	Q	G	P	R	J	I	W	E	A
K	Z	I	R	B	U	T	R	J	H	D	M	L	A	R
D	O	N	L	O	V	E	B	I	R	D	A	F	L	I
E	G	S	M	E	Y	T	E	E	K	I	R	O	L	E
R	E	H	C	T	A	C	R	E	T	S	Y	O	R	S

◊ ACE RAINS
CANARIES
◊ ALPINE SIR
SNIPE-RAIL
◊ BING NUT
BUNTING
◊ BISON POLL
SPOONBILL
◊ BRAWLER
WARBLER
◊ CONFLATE
FALCONET
◊ COOK TACO
COCKATOO
◊ COYEST CHARTER
OYSTER-CATCHER

◊ DEER KIT
RED KITE
◊ DEVIL BRO
LOVEBIRD
◊ GEODE MAP
MEGAPODE
◊ GLAM INFO
FLAMINGO
◊ GO NOTE
GENTOO
◊ GRAPE DIRT
PARTRIDGE
◊ LEEK RIOT
LORIKEET
◊ LEGO WALE
EAGLE OWL

◊ MESH PAWN
SWAMPHEN
◊ OWL LAWS
SWALLOW
◊ POKER PORCH
ROCKHOPPER
◊ POX CREEK
OXPECKER
◊ RAN ROUNDER
ROADRUNNER
◊ RYE SOP
OSPREY
◊ STORY NOTE
SOOTY TERN
◊ TRUE LUV
VULTURE

49 Rhymes with "Goose"

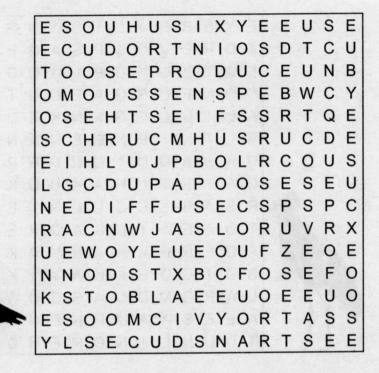

E	S	O	U	H	U	S	I	X	Y	E	E	U	S	E
E	C	U	D	O	R	T	N	I	O	S	D	T	C	U
T	O	O	S	E	P	R	O	D	U	C	E	U	N	B
O	M	O	U	S	S	E	N	S	P	E	B	W	C	Y
O	S	E	H	T	S	E	I	F	S	S	R	T	Q	E
S	C	H	R	U	C	M	H	U	S	R	U	C	D	E
E	I	H	L	U	J	P	B	O	L	R	C	O	U	S
L	G	C	D	U	P	A	P	O	O	S	E	S	E	U
N	E	D	I	F	F	U	S	E	C	S	P	S	P	C
R	A	C	N	W	J	A	S	L	O	R	U	V	R	X
U	E	W	O	Y	E	U	E	O	U	F	Z	E	O	E
N	N	O	D	S	T	X	B	C	F	O	S	E	F	O
K	S	T	O	B	L	A	E	E	U	O	E	E	U	O
E	S	O	O	M	C	I	V	Y	O	R	T	A	S	S
Y	L	S	E	C	U	D	S	N	A	R	T	S	E	E

◊ ABUSE
◊ ADDUCE
◊ BRUCE
◊ CABOOSE
◊ DIFFUSE
◊ EDUCE
◊ EFFUSE
◊ EXCUSE
◊ INTRODUCE
◊ JUICE
◊ LOOSE
◊ MISUSE
◊ MOOSE
◊ MOUSSE
◊ NOOSE
◊ OBTUSE
◊ PAPOOSE
◊ PRODUCE
◊ PROFUSE
◊ RECLUSE
◊ SPRUCE
◊ TRANSDUCE
◊ TRUCE
◊ ZEUS

50 Birds of Oceania

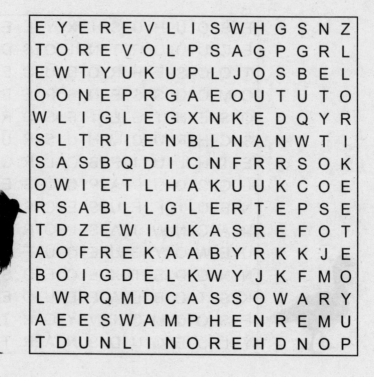

E	Y	E	R	E	V	L	I	S	W	H	G	S	N	Z
T	O	R	E	V	O	L	P	S	A	G	P	G	R	L
E	W	T	Y	U	K	U	P	L	J	O	S	B	E	L
O	O	N	E	P	R	G	A	E	O	U	T	U	T	O
W	L	I	G	L	E	G	X	N	K	E	D	Q	Y	R
S	L	T	R	I	E	N	B	L	N	A	N	W	T	I
S	A	S	B	Q	D	I	C	N	F	R	R	S	O	K
O	W	I	E	T	L	H	A	K	U	U	K	C	O	E
R	S	A	B	L	L	G	L	E	R	T	E	P	S	E
T	D	Z	E	W	I	U	K	A	S	R	E	F	O	T
A	O	F	R	E	K	A	A	B	Y	R	K	K	J	E
B	O	I	G	D	E	L	K	W	Y	J	K	F	M	O
L	W	R	Q	M	D	C	A	S	S	O	W	A	R	Y
A	E	E	S	W	A	M	P	H	E	N	R	E	M	U
T	D	U	N	L	I	N	O	R	E	H	D	N	O	P

◊ AUSTRAL-ASIAN GREBE

◊ BAILLON'S CRAKE

◊ CAPE GANNET

◊ CASPIAN PLOVER

◊ CHATHAM ALBATROSS

◊ CHINESE POND-HERON

◊ DUNLIN

◊ DWARF CASSOWARY

◊ EMU

◊ FIJI WOOD-SWALLOW

◊ GALAH

◊ GLOSSY IBIS

◊ GREAT EGRET

◊ KAKAPO

◊ KEA

◊ KERMADEC PETREL

◊ KILLDEER

◊ LAUGHING GULL

◊ LITTLE STINT

◊ LORD HOWE SWAMPHEN

◊ ORANGE-BILLED LORIKEET

◊ ROYAL SPOONBILL

◊ SILVEREYE

◊ SOOTY TERN

51 National Birds

N	I	Z	T	A	O	H	B	V	H	I	V	S	P	L
I	U	N	O	C	L	A	F	R	Y	G	E	A	I	F
K	V	U	L	T	U	R	E	N	U	N	R	T	R	K
T	R	C	W	S	B	P	G	M	O	T	T	E	R	O
S	S	O	J	E	L	Y	E	C	R	L	D	O	T	R
E	W	C	X	V	U	E	L	I	E	K	T	P	A	I
R	A	R	G	S	B	A	D	O	I	S	N	O	H	B
C	L	I	U	F	F	G	W	T	E	O	I	O	C	U
D	L	C	W	R	E	L	E	T	G	N	R	H	M	S
L	O	O	E	I	M	E	I	O	S	X	E	Q	L	T
O	W	K	O	W	K	H	R	X	R	X	T	O	A	A
G	A	N	V	E	W	T	Y	L	A	I	S	K	P	R
S	D	R	I	B	N	U	S	Q	W	S	O	W	S	D
W	E	L	G	A	E	D	L	A	B	Y	O	L	C	S
Z	F	R	H	C	N	I	F	E	S	O	R	R	E	I

- ◊ BALD EAGLE
- ◊ BARN SWALLOW
- ◊ CHUKAR PARTRIDGE
- ◊ COCRICO
- ◊ CRIMSON SUNBIRD
- ◊ CUBAN TROGON
- ◊ EMU
- ◊ GALLIC ROOSTER
- ◊ GARDEN BULBUL
- ◊ GOLDCREST
- ◊ GRIFFON VULTURE
- ◊ GYRFALCON
- ◊ HARPY EAGLE
- ◊ HOATZIN
- ◊ HOOPOE
- ◊ KIWI
- ◊ KORI BUSTARD
- ◊ LITTLE OWL
- ◊ MONTSERRAT ORIOLE
- ◊ PALMCHAT
- ◊ RED KITE
- ◊ SAKER FALCON
- ◊ SINAI ROSEFINCH
- ◊ WHITE STORK

52 Flags with Birds

J	S	R	D	A	C	I	N	I	M	O	D	K	P	D
A	B	D	Y	N	H	E	W	B	A	B	M	I	Z	A
L	V	N	N	D	A	Y	N	A	M	R	E	G	L	D
O	A	O	A	A	A	L	A	M	E	T	A	U	G	N
U	I	S	D	E	L	I	O	C	A	C	L	U	F	A
I	N	Q	A	L	R	S	U	P	E	T	B	P	C	G
S	O	G	C	T	O	A	I	M	P	E	A	W	S	U
I	L	I	S	V	D	M	C	Y	I	L	N	V	J	V
A	L	U	J	O	D	O	G	T	A	I	I	R	M	Q
N	A	V	R	I	L	E	A	P	J	W	A	L	D	E
A	W	K	E	O	F	B	A	F	P	G	D	P	F	W
O	F	M	M	W	I	R	N	E	M	E	X	I	C	O
H	E	B	Z	R	I	O	S	E	R	B	I	A	M	C
N	I	R	I	S	N	A	T	S	H	K	A	Z	A	K
A	W	K	H	A	I	V	I	L	O	B	E	M	I	K

◊ ALBANIA
◊ AUSTRIA
◊ BOLIVIA
◊ COLOMBIA
◊ DIEMEN
◊ DOMINICA
◊ ECUADOR
◊ EGYPT
◊ FIJI
◊ GERMANY
◊ GUATEMALA
◊ KAZAKHSTAN
◊ KIRIBATI
◊ LOUISIANA
◊ MEXICO
◊ MIDWAY ISLANDS
◊ MOLDOVA
◊ PALA PARISH
◊ PIETA
◊ POLAND
◊ SERBIA
◊ UGANDA
◊ WALLONIA
◊ ZIMBABWE

53 Rhymes with “Crow”

W	O	I	D	I	S	E	R	P	O	N	W	T	O	W
O	J	O	B	H	I	M	P	R	E	S	A	R	I	O
O	I	L	O	P	L	Y	O	S	W	R	D	B	B	Y
C	P	O	A	L	K	W	C	I	O	O	E	D	J	K
B	U	T	E	T	L	R	S	T	I	L	R	O	L	B
L	I	G	O	P	O	E	W	Z	L	O	T	R	K	A
O	A	C	C	W	A	O	H	O	B	L	O	W	A	L
C	T	G	I	C	E	K	W	O	L	D	G	S	D	T
I	H	I	L	M	W	I	U	O	N	L	K	G	A	H
T	W	F	A	O	O	O	L	A	T	I	A	L	G	O
R	I	C	C	Q	W	M	U	E	B	R	M	F	I	U
O	M	A	N	Y	D	D	O	R	O	M	E	O	O	G
P	W	O	C	E	I	W	O	N	N	I	M	D	D	H
P	W	O	D	O	Q	E	N	V	N	J	O	M	N	E
O	C	I	T	I	L	O	P	W	O	R	T	B	R	U

◊ ADAGIO
◊ AGLOW
◊ ALTHOUGH
◊ ARROW
◊ AUDIO
◊ BELLOW
◊ BLOW
◊ CALICO
◊ CAMEO
◊ DOMINO
◊ DYNAMO
◊ ESCROW
◊ FALLOW
◊ HELLO
◊ IMPRESARIO
◊ MINNOW
◊ PATIO
◊ POLIO
◊ POLITICO
◊ PORTICO
◊ PRESIDIO
◊ ROMEO
◊ TAROT
◊ UNDERTOW

54 Passerines – Part Three

M	V	A	F	A	L	L	L	I	B	G	N	O	L	L
A	G	N	A	V	R	X	A	O	A	T	L	B	R	K
E	X	S	S	L	J	G	Y	C	E	M	O	R	S	D
Y	E	P	P	V	L	U	A	V	S	A	Q	E	L	O
E	B	E	S	A	J	I	I	H	T	I	G	L	L	E
E	U	P	A	D	R	N	B	B	C	N	F	T	I	R
R	T	P	D	N	I	R	I	N	O	T	D	S	B	I
A	C	E	D	M	T	L	O	W	R	R	K	I	E	V
B	H	R	L	O	L	B	A	W	I	O	R	H	G	R
W	E	S	E	Z	D	R	I	B	P	I	H	W	D	E
I	R	H	B	W	R	R	N	R	R	V	C	T	E	L
O	B	R	A	U	C	I	P	P	D	I	C	N	W	L
R	I	I	C	D	T	S	I	T	T	E	L	L	A	I
A	R	K	K	A	S	I	T	A	B	E	P	A	C	R
V	D	E	S	N	E	L	O	I	R	O	V	P	Y	T

◊ ANTBIRD
◊ BARE-EYE
◊ BOATBILL
◊ BUTCHERBIRD
◊ CAPE BATIS
◊ CURRAWONG
◊ FISCAL
◊ IORA
◊ LONGBILL
◊ MINIVET
◊ ORIOLE
◊ PEPPER-SHRIKE
◊ SADDLEBACK
◊ SATINBIRD
◊ SITTELLA
◊ SPARROW
◊ TCHAGRA
◊ THORNBILL
◊ TRILLER
◊ VANGA
◊ VIREO
◊ WEDGEBILL
◊ WHIPBIRD
◊ WHISTLER

Equipment for Keeping Birds as Pets

R	E	R	E	M	M	I	R	T	L	I	A	N	A	S
A	R	C	C	U	T	T	L	E	B	O	N	E	E	A
L	O	A	N	R	E	D	D	A	L	F	O	O	D	S
N	G	S	E	V	O	L	G	R	E	B	B	U	R	E
E	Y	Z	R	Z	S	R	A	L	E	K	C	F	E	N
S	O	A	O	P	W	R	A	R	J	L	O	H	N	O
T	T	Y	R	A	I	V	A	T	S	S	V	E	A	C
B	W	G	R	T	N	V	N	S	H	C	E	M	E	E
O	E	V	I	T	G	Y	T	P	C	R	R	Q	L	N
X	H	S	M	Y	C	A	R	F	P	A	C	G	C	I
K	C	B	L	X	E	E	L	R	E	P	P	O	H	P
K	X	B	O	R	T	W	W	S	O	E	B	N	Z	E
Q	S	W	T	A	O	E	G	E	M	R	N	A	X	R
X	Y	A	W	B	P	P	U	P	H	N	C	E	T	C
W	F	F	M	M	Q	U	E	S	R	E	N	I	L	H

◊ AVIARY
◊ BATH
◊ BOWL
◊ CAGE
◊ CHEW TOY
◊ CLEANER
◊ COVER
◊ CUTTLEBONE
◊ FOOD
◊ HOPPER
◊ LADDER
◊ LINERS
◊ MASK
◊ MIRROR
◊ NAIL TRIMMER
◊ NEST BOX
◊ PERCH
◊ PINECONES
◊ ROPE
◊ RUBBER GLOVES
◊ SCRAPER
◊ SWING
◊ TREATS
◊ WATER

56 Musical Birds

C	T	O	O	F	N	E	K	C	I	H	C	F	E	R
H	D	S	E	L	G	A	E	O	P	S	H	A	P	S
I	R	E	W	O	R	C	U	E	W	O	R	E	H	F
C	A	J	S	B	T	P	N	K	U	Q	L	E	L	D
K	K	J	Y	E	R	G	S	S	R	I	A	A	V	S
S	E	R	S	M	U	E	E	Q	C	R	M	K	G	K
A	D	I	N	I	L	M	I	A	W	I	Y	N	Q	W
S	H	O	N	O	A	V	N	A	N	S	I	R	W	A
D	I	S	I	R	D	W	T	G	F	L	G	O	E	H
O	R	R	T	Q	J	E	O	U	S	L	L	O	I	Y
V	O	I	S	C	R	S	R	O	N	U	H	S	R	A
E	N	Z	B	W	K	M	G	E	A	G	C	T	D	J
S	T	A	R	L	I	N	G	S	W	A	N	E	O	E
S	S	O	R	T	A	B	L	A	S	E	I	R	W	L
B	L	A	C	K	H	A	W	K	E	S	F	E	L	I

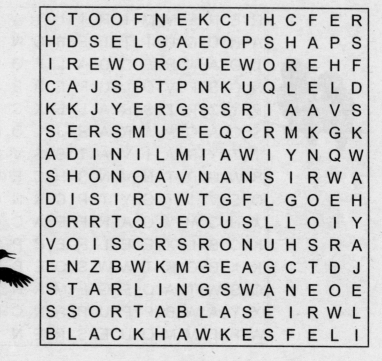

- ◊ AN ALBATROSS
- ◊ ANDREW BIRD
- ◊ ATOMIC ROOSTER
- ◊ BLACKHAWK BAND
- ◊ CHICKEN-FOOT
- ◊ DIXIE CHICKS
- ◊ FINCH
- ◊ FLOCK OF SEAGULLS
- ◊ JAYHAWKS
- ◊ NICK DRAKE
- ◊ ORIOLES
- ◊ PELICAN
- ◊ SHEARWATER
- ◊ SHERYL CROW
- ◊ THE BYRDS
- ◊ THE DOVES
- ◊ THE EAGLES
- ◊ THE FLAMINGOS
- ◊ THE GOSLINGS
- ◊ THE HOUSE-MARTINS
- ◊ THE PENGUINS
- ◊ THE STARLINGS
- ◊ WEIRD OWL
- ◊ YELLOW SWANS

57

Excerpt from *The Birds of Washington* by Dawson and Bowles: The Northern Raven

D	E	T	U	B	I	R	T	S	I	D	S	S	P	C
I	A	B	U	N	D	A	N	T	S	D	E	C	R	H
N	M	G	K	N	O	W	L	E	D	G	E	O	O	A
V	O	Y	R	O	T	S	I	H	I	R	A	L	B	R
E	N	P	L	U	H	C	Y	Z	V	K	I	O	A	A
S	G	S	U	Q	E	E	D	T	I	O	Y	B	B	C
T	A	J	U	P	R	E	H	N	N	L	H	M	L	T
E	C	I	S	E	E	G	G	T	E	L	A	Y	Y	E
D	C	E	H	P	U	S	N	D	R	S	E	S	O	R
K	R	W	P	O	H	T	I	W	E	O	E	F	B	W
E	O	A	H	S	S	W	N	A	Y	N	P	G	T	H
N	D	T	V	E	A	G	N	S	N	V	S	M	A	I
J	P	A	N	E	E	R	U	T	A	R	E	T	I	L
A	U	S	M	H	N	L	C	O	M	H	O	H	N	E
S	E	M	I	S	A	C	R	E	D	L	Q	N	S	G

ALTHO NOWHERE ABUNDANT, IN THE SENSE WHICH OBTAINS AMONG SMALLER SPECIES, NOR AS WIDELY DISTRIBUTED AS SOME, THERE IS PROBABLY NO OTHER BIRD WHICH HAS ATTRACTED SUCH UNIVERSAL ATTENTION, OR HAS LEFT SO DEEP AN IMPRESS UPON HISTORY AND LITERATURE AS THE RAVEN... QUICK-SIGHTED, CUNNING, AND AUDACIOUS, THIS BIRD OF SINISTER ASPECT HAS BEEN INVESTED BY PEOPLES OF ALL AGES WITH A MYSTERIOUS AND SEMI-SACRED CHARACTER. HIS OMINOUS CROAKINGS WERE THOUGHT TO HAVE PROPHETIC IMPORT, WHILE HIS PRETERNATURAL SHREWDNESS HAS MADE HIM, WITH MANY, A SYMBOL OF DIVINE KNOWLEDGE.

58 Common Bird Adjectives

C	T	A	E	R	G	S	H	D	U	S	B	D	V	Y
N	V	H	O	R	I	E	N	T	A	L	W	G	Q	M
H	O	U	S	E	U	G	Z	C	C	E	H	D	R	A
N	F	R	A	U	L	F	O	I	S	I	I	E	X	U
A	M	G	T	E	B	M	O	T	M	H	T	H	X	S
E	I	N	S	H	M	F	E	U	O	Z	E	C	P	T
P	T	S	E	O	E	R	L	O	S	L	C	O	R	R
O	E	K	N	E	N	R	D	Z	K	D	T	K	D	A
R	Z	Y	U	W	R	E	N	J	E	T	C	G	F	L
U	R	Q	Z	D	D	G	B	N	E	A	S	R	I	I
E	E	L	U	R	H	A	R	D	L	N	I	T	B	A
R	B	S	M	S	N	O	Q	B	O	C	T	R	J	N
N	K	X	M	D	H	E	H	W	A	L	O	Y	X	O
Y	O	Z	E	Y	J	J	Y	N	E	W	D	U	Z	K
W	J	D	W	O	L	L	E	Y	N	A	S	F	E	Y

◊ AFRICAN
◊ ARCTIC
◊ AUSTRALIAN
◊ BANDED
◊ BLACK
◊ BROWN
◊ COMMON
◊ DUSKY
◊ EUROPEAN
◊ GREAT
◊ GREEN
◊ HOODED
◊ HORNED
◊ HOUSE
◊ LESSER
◊ LITTLE
◊ NORTHERN
◊ ORIENTAL
◊ RUFOUS
◊ SNOWY
◊ SPOTTED
◊ WESTERN
◊ WHITE
◊ YELLOW

59 Birds and Religion

N	U	M	H	T	N	A	R	O	M	R	O	C	P	H
N	A	D	D	T	H	F	O	J	U	E	M	I	G	K
M	A	C	I	R	O	A	M	B	R	E	D	R	S	E
E	X	M	S	F	V	H	N	C	L	I	U	Z	I	E
S	T	P	O	U	O	O	T	E	Z	M	P	P	B	R
O	S	A	G	R	R	P	K	A	I	I	M	V	I	G
P	Y	N	N	S	Y	T	Y	S	Z	U	K	B	O	U
O	R	A	E	G	A	C	E	X	L	C	J	L	E	A
T	P	Y	E	U	A	C	E	L	O	B	L	R	S	M
A	O	A	S	C	F	T	U	C	O	M	U	H	J	H
M	U	R	V	K	D	H	A	I	W	T	E	N	S	U
I	A	J	D	A	C	E	R	M	L	R	T	I	S	G
A	K	A	N	O	P	K	I	U	A	J	A	N	Y	I
J	A	V	K	W	V	R	V	H	J	N	T	U	K	N
R	I	S	A	D	J	E	Y	R	K	P	U	M	Z	A

◊ ASHERAH
◊ CHULLUMPI
◊ CORMORANT
◊ DOVE
◊ EGYPT
◊ ETRUSCAN
◊ GREEK
◊ HUGIN
◊ IBIS
◊ MAORI
◊ MELEK TAUS
◊ MESO-POTAMIA
◊ MUNIN
◊ NORSE
◊ OWL
◊ PEACOCK
◊ POUAKAI
◊ ROMAN
◊ SIMURGH
◊ TANGATA MANU
◊ THOTH
◊ VAJRAYANA
◊ VULTURE
◊ YAZIDI

60 Passerines – Part Four

I	L	H	C	N	I	F	W	O	N	S	S	D	W	W
Z	M	E	O	X	S	E	R	C	C	R	U	R	A	D
S	Q	H	A	S	V	M	A	N	E	B	W	I	X	H
E	U	U	U	F	W	H	I	P	X	G	B	B	B	R
T	E	Z	M	V	B	L	P	X	A	J	E	N	I	E
R	L	N	C	W	T	I	A	N	E	D	U	U	L	V
A	E	Q	I	A	D	E	R	Z	E	T	C	S	L	A
H	A	W	V	D	I	A	T	D	C	V	R	R	X	E
T	S	A	Q	K	R	P	S	R	X	H	A	O	O	W
A	F	X	V	C	M	E	A	T	E	Y	O	R	O	W
C	N	W	X	A	A	C	V	I	A	S	E	U	H	K
I	I	I	I	J	K	E	D	J	P	K	S	G	G	Y
P	B	N	W	E	W	E	N	I	T	R	A	M	N	H
E	O	G	R	S	U	G	A	R	B	I	R	D	X	I
S	R	Z	M	M	R	D	R	I	B	W	O	D	I	W

◊ ASTRAPIA
◊ CHOUGH
◊ CROW
◊ DIPPER
◊ JACKDAW
◊ JAY
◊ LEAFBIRD
◊ MARTIN

◊ NILTAVA
◊ NUTCRACKER
◊ PIAPIAC
◊ PICATHARTES
◊ QUELEA
◊ RAVEN
◊ ROBIN
◊ ROOK

◊ SNOWFINCH
◊ SUGARBIRD
◊ SUNBIRD
◊ VERDIN
◊ WAXBILL
◊ WAXWING
◊ WEAVER
◊ WIDOWBIRD

61 Birds Beginning with “R”

R	E	S	A	V	N	I	B	O	R	A	K	R	E	R
T	F	N	R	A	N	E	S	R	E	Z	C	A	R	A
N	C	O	E	I	R	A	R	G	N	E	O	I	E	G
K	S	I	L	V	F	E	N	R	N	N	R	N	G	N
Y	E	E	L	J	A	L	E	B	U	T	Q	B	E	I
R	K	R	O	E	R	R	E	D	R	D	I	O	N	T
O	R	O	R	O	R	A	R	M	D	O	D	W	T	S
O	D	A	Y	C	I	R	E	E	A	U	R	S	N	E
S	A	A	D	T	A	P	V	F	O	N	U	H	G	R
T	L	I	H	D	S	E	I	N	R	E	A	N	R	L
E	R	E	J	H	E	U	R	Z	G	N	I	R	O	M
R	C	A	O	R	Z	S	R	Y	M	W	F	T	O	D
L	H	T	A	A	O	R	O	K	D	F	P	B	K	P
S	U	O	F	U	R	H	X	E	U	A	T	F	D	U
O	R	E	A	B	S	S	R	R	T	D	E	T	A	R

◊ RADDE’S ACCENTOR

◊ RADJAH SHELDUCK

◊ RAINBOW PITTA

◊ RAVEN

◊ REDWING

◊ REED BUNTING

◊ REGENT PARROT

◊ RELICT GULL

◊ RESTINGA ANTWREN

◊ RIFLEMAN

◊ RING OUZEL

◊ RIVER TERN

◊ ROADRUNNER

◊ ROBIN

◊ ROCK SHAG

◊ ROLLER

◊ ROOK

◊ ROOSTER

◊ ROSY PIPIT

◊ ROYAL TERN

◊ RUDD’S LARK

◊ RUFF

◊ RUFOUS OWL

◊ RUSTY LARK

62 Waterbirds

V	R	Y	P	C	G	S	M	A	C	A	R	O	N	I
E	E	O	I	K	W	R	G	Z	F	E	I	C	S	M
I	G	N	E	A	E	T	L	S	T	O	R	K	Z	N
N	E	B	N	B	A	L	B	A	T	R	O	S	S	L
E	A	D	E	C	B	F	W	Q	D	R	Y	S	L	Y
M	J	R	P	K	X	R	I	I	Z	B	E	U	D	Q
P	G	R	E	D	A	W	P	S	O	M	G	D	C	A
E	X	H	V	E	P	P	K	O	R	N	O	R	I	M
R	I	L	H	J	E	I	B	O	A	N	Y	F	V	E
O	P	S	X	R	M	O	F	I	N	G	O	O	S	E
R	E	W	S	M	E	I	N	W	N	O	P	T	H	E
B	T	K	E	L	U	E	O	R	O	S	R	F	O	M
I	R	R	A	R	M	R	A	A	O	K	B	E	G	E
E	E	M	G	R	B	W	N	I	L	U	W	J	H	Q
G	L	W	A	H	C	M	A	L	L	A	R	D	M	K

◊ ALBATROSS

◊ ARMENIAN GULL

◊ BOOBY

◊ BROWN NODDY

◊ CRAKE

◊ DIPPER

◊ EIDER

◊ EMPEROR

◊ GOOSE

◊ GREBE

◊ GRUIFORMES

◊ HERON

◊ JAEGER

◊ LOON

◊ MACARONI

◊ MALLARD

◊ PETREL

◊ RAIL

◊ SHEARWATER

◊ SKIMMER

◊ SKUA

◊ STORK

◊ SWAN

◊ WADER

All About Hummingbirds

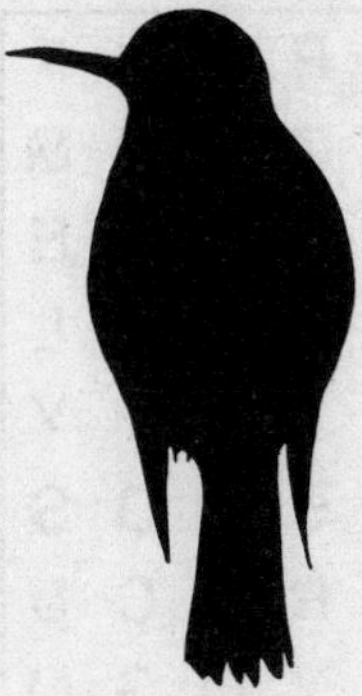

E	R	I	H	P	P	A	S	N	T	H	L	U	H	T
H	B	E	C	V	M	Z	E	F	E	I	A	F	B	E
L	L	I	B	E	C	N	A	L	F	L	O	R	A	L
N	A	W	R	L	R	E	A	P	Q	L	E	H	R	T
L	I	Z	L	A	L	A	I	W	O	S	T	H	B	N
I	S	B	U	L	C	I	E	L	S	T	T	E	T	O
A	N	U	O	L	I	N	B	T	J	A	E	R	H	R
T	O	C	N	C	I	B	U	E	E	R	U	M	R	F
N	W	F	K	B	A	N	L	J	L	L	Q	I	O	R
R	C	K	M	V	E	J	E	W	M	K	O	T	A	A
O	A	T	R	A	M	A	T	N	A	S	C	I	T	T
H	P	D	L	A	R	E	M	E	N	X	V	I	V	S
T	M	O	U	N	T	A	I	N	G	E	M	N	S	F
Y	E	T	A	N	S	T	E	N	O	R	O	C	R	R
T	S	E	R	C	R	E	V	O	L	P	I	A	V	T

◊ AWLBILL

◊ BARBTHROAT

◊ CARIB

◊ COQUETTE

◊ CORONET

◊ EMERALD

◊ HERMIT

◊ HILLSTAR

◊ INCA

◊ JACOBIN

◊ LANCEBILL

◊ LAZULINE

◊ MANGO

◊ MOUNTAIN-GEM

◊ PLOVER-CREST

◊ SANTA MARTA

◊ SAPPHIRE

◊ SICKLEBILL

◊ SNOWCAP

◊ STAR-FRONTLET

◊ SUNBEAM

◊ THORNTAIL

◊ TOPAZ

◊ VIOLETEAR

"Black" at the Beginning

M	Y	Z	O	M	E	L	A	I	H	M	P	O	H	K
U	E	N	T	L	I	T	S	G	F	T	Z	S	N	S
N	B	K	T	S	C	E	T	A	V	P	U	M	U	E
I	G	L	S	C	I	M	I	T	A	R	B	I	L	L
A	A	O	O	Q	N	T	A	T	H	L	J	J	M	X
S	E	R	S	O	Y	N	T	T	E	N	J	G	C	S
E	W	Y	R	H	T	F	G	E	I	P	R	Z	C	U
L	K	E	E	B	A	N	K	B	L	A	Y	O	G	O
N	H	A	I	B	I	W	O	I	S	L	T	U	V	M
P	O	R	R	H	E	C	K	S	G	E	A	B	J	A
M	D	C	G	C	A	O	W	H	R	N	H	A	T	N
S	C	U	L	J	H	R	H	O	T	Y	M	Z	X	I
R	A	E	T	A	E	H	W	P	D	K	C	A	J	T
L	T	P	A	N	F	O	R	E	T	A	E	E	E	B
P	I	T	O	H	U	I	R	A	C	N	I	T	I	Y

◊ ANTBIRD
◊ BAZA
◊ BEE-EATER
◊ BISHOP
◊ CRAKE
◊ FALCON
◊ GOSHAWK
◊ GRASSWREN
◊ GUAN
◊ HERON
◊ INCA
◊ JACOBIN
◊ LAUGHING THRUSH
◊ LORY
◊ MUNIA
◊ MYZOMELA
◊ PHOEBE
◊ PITOHUI
◊ SCIMITAR-BILL
◊ SCOTER
◊ SITTELLA
◊ STILT
◊ TINAMOU
◊ WHEATEAR

65 Fictional Birds

F	A	M	H	Z	A	X	M	N	S	E	W	T	X	F
R	F	R	O	N	T	B	I	E	P	E	W	Y	L	X
S	C	A	C	D	R	N	J	L	K	E	K	I	V	P
G	E	O	M	H	U	M	G	V	E	Y	T	W	I	S
R	H	R	R	M	I	F	L	T	Z	F	D	N	A	E
A	A	T	E	V	D	M	Y	N	A	A	G	Y	G	F
C	Y	F	O	N	I	R	E	B	I	U	Z	W	O	A
U	I	M	A	U	A	L	I	D	E	L	Q	U	G	A
L	N	Y	S	E	Q	L	L	B	E	C	E	V	I	J
U	R	I	S	R	L	P	H	E	G	S	K	L	M	W
S	H	K	G	I	P	T	O	B	V	I	E	Y	O	I
L	J	N	N	U	G	X	X	N	N	M	B	O	W	T
P	W	A	I	Q	H	O	L	B	A	I	D	R	T	K
O	Q	O	G	A	B	B	L	E	S	Y	A	Y	X	U
R	U	B	L	I	W	I	J	A	X	Q	T	T	B	J

◊ AMELIA
◊ ARCHIMEDES
◊ BECKY
◊ BIG BIRD
◊ BILLINA
◊ DIABLO
◊ FAWKES
◊ FELIX
◊ FLIT
◊ GABBLE
◊ GRACULUS
◊ HUGIN
◊ IAGO
◊ MUNIN
◊ ORVILLE
◊ OWL
◊ PINGU
◊ QUOTH
◊ RAFAEL
◊ SERENA
◊ TWEETY
◊ WILBUR
◊ WOODY
◊ ZAZU

66 Birds Beginning with “C”

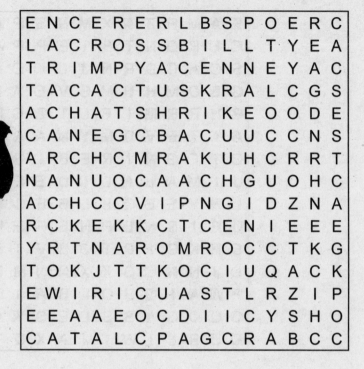

E	N	C	E	R	E	R	L	B	S	P	O	E	R	C
L	A	C	R	O	S	S	B	I	L	L	T	Y	E	A
T	R	I	M	P	Y	A	C	E	N	N	E	Y	A	C
T	A	C	A	C	T	U	S	K	R	A	L	C	G	S
A	C	H	A	T	S	H	R	I	K	E	O	O	D	E
C	A	N	E	G	C	B	A	C	U	U	C	C	N	S
A	R	C	H	C	M	R	A	K	U	H	C	R	R	T
N	A	N	U	O	C	A	A	C	H	G	U	O	H	C
A	C	H	C	C	V	I	P	N	G	I	D	Z	N	A
R	C	K	E	K	K	C	T	C	E	N	I	E	E	E
Y	R	T	N	A	R	O	M	R	O	C	C	T	K	G
T	O	K	J	T	T	K	O	C	I	U	Q	A	C	K
E	W	I	R	I	C	U	A	S	T	L	R	Z	I	P
E	E	A	A	E	O	C	D	I	I	C	Y	S	H	O
C	A	T	A	L	C	P	A	G	C	R	A	B	C	C

◊ CACTUS WREN
◊ CANARY
◊ CARACARA
◊ CATTLE TYRANT
◊ CAYENNE JAY
◊ CHATSHRIKE
◊ CHICKEN
◊ CHOUGH
◊ CHUKAR
◊ CITRIL FINCH
◊ CLARK’S GREBE
◊ COCKATIEL
◊ COLETO
◊ COMB DUCK
◊ CONDOR
◊ CORMORANT
◊ CRAB PLOVER
◊ CRAKE
◊ CRANE
◊ CROSSBILL
◊ CROW
◊ CROZET SHAG
◊ CUCKOO
◊ CUTIA

67 Unbelievable Beaks

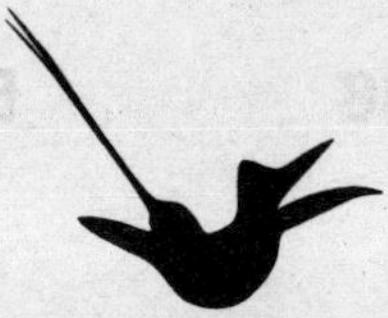

A	S	E	P	T	R	E	K	C	E	P	D	O	O	W
C	U	L	B	L	E	V	S	Y	A	P	H	U	I	A
R	U	O	T	L	Z	C	E	O	O	O	R	A	D	B
O	N	R	C	I	H	R	O	T	O	A	M	R	Y	L
S	I	B	L	B	E	O	V	V	U	G	I	A	G	A
S	F	T	Y	E	G	I	R	W	A	B	N	C	Z	C
B	F	O	E	O	W	O	F	N	G	S	A	A	F	K
I	U	U	U	H	E	L	D	N	B	E	C	R	I	S
L	P	C	E	S	A	K	I	W	I	I	I	I	N	K
L	C	A	F	M	G	M	E	S	I	H	L	X	C	I
C	E	N	I	R	M	S	S	N	E	T	E	L	H	M
N	A	N	N	U	S	T	F	A	J	B	P	L	U	M
F	G	E	H	S	P	O	O	N	B	I	L	L	S	E
O	L	L	L	I	B	R	O	Z	A	R	Z	R	C	R
U	E	M	F	I	S	K	E	R	U	T	L	U	V	E

◊ AVOCET

◊ BALD EAGLE

◊ BLACK SKIMMER

◊ CANADA GOOSE

◊ COLLARED ARACARI

◊ CRESTED COUA

◊ CROSSBILL

◊ DALMATIAN PELICAN

◊ FINCH

◊ FLAMINGO

◊ GODWIT

◊ GREAT HORNBILL

◊ HUIA

◊ KEEL-BILLED TOUCAN

◊ KING VULTURE

◊ KIWI

◊ LONG-BILLED CURLEW

◊ PUFFIN

◊ RAZORBILL

◊ SHOEBILL

◊ SPOONBILL

◊ STORK

◊ SWORD-BILLED HUMMING-BIRD

◊ WOOD-PECKER

68 Birds with Eight-letter Names

D	R	I	B	E	V	O	L	L	I	B	N	R	O	H
D	W	I	N	G	T	E	E	K	A	R	A	P	G	K
R	B	E	E	E	A	T	E	R	D	V	T	N	R	C
G	E	F	L	A	M	I	N	G	O	Q	P	A	F	H
L	L	D	G	N	I	L	T	S	E	N	J	O	C	Y
Y	L	I	S	O	W	A	O	W	U	T	X	N	A	E
E	B	D	N	H	V	R	L	K	H	P	I	K	R	D
N	I	I	X	A	A	O	I	G	E	F	C	C	D	R
A	R	B	D	H	R	N	I	C	W	O	O	U	I	I
G	D	A	C	I	G	N	K	A	C	F	C	R	N	B
R	V	A	K	B	T	E	H	E	W	D	K	A	A	E
A	U	E	I	L	R	A	M	C	M	N	A	S	L	R
G	E	R	M	E	G	A	P	O	D	E	T	S	T	Y
T	D	O	V	E	G	L	L	I	W	R	O	O	P	L
B	A	T	E	L	E	U	R	B	E	H	O	W	X	D

◊ AVADAVAT
◊ BATELEUR
◊ BEE-EATER
◊ BELLBIRD
◊ CARDINAL
◊ COCKATOO
◊ CURASSOW
◊ FLAMINGO
◊ GAMECOCK
◊ GARGANEY
◊ GUACHARO
◊ HAWFINCH
◊ HORNBILL
◊ KINGBIRD
◊ LORIKEET
◊ LOVEBIRD
◊ LYREBIRD
◊ MEGAPODE
◊ NESTLING
◊ NIGHTJAR
◊ OXPECKER
◊ PARAKEET
◊ POORWILL
◊ REDSHANK

Birds Beginning with "H"

H	I	J	L	E	Z	A	H	G	N	O	A	S	E	H
O	E	H	Z	V	H	E	R	B	A	I	P	S	H	A
N	M	H	O	O	D	E	D	D	H	E	S	S	Y	T
B	A	B	V	Q	Y	O	A	W	H	T	N	G	R	H
S	W	W	H	P	T	D	R	O	F	O	N	H	A	H
E	H	T	R	O	A	H	R	E	T	I	A	L	O	H
M	H	A	C	H	U	U	E	T	R	R	J	S	H	O
U	H	U	L	H	S	S	U	R	R	E	E	Y	R	R
H	H	U	O	L	O	H	E	I	A	S	H	N	E	N
R	J	E	A	N	S	H	E	I	M	L	U	I	Y	E
K	D	H	E	H	A	R	D	H	E	A	D	E	L	D
M	W	T	C	J	H	N	G	H	E	P	U	J	J	L
E	I	A	L	C	M	U	S	H	A	S	I	F	Y	Y
H	O	K	H	H	C	N	I	F	W	A	H	M	Y	I
H	A	P	P	Y	Q	C	Q	A	R	A	S	U	E	H

◊ HADADA IBIS

◊ HALL'S BABBLER

◊ HAPPY WREN

◊ HARDHEAD

◊ HARPY EAGLE

◊ HARRIER

◊ HAWFINCH

◊ HAWK

◊ HAZEL GROUSE

◊ HERALD PETREL

◊ HERERO CHAT

◊ HERRING GULL

◊ HILL PRINIA

◊ HOARY PUFFLEG

◊ HOODED SISKIN

◊ HORNED COOT

◊ HORUS SWIFT

◊ HOSE'S BROADBILL

◊ HOUSE SWIFT

◊ HUIA

◊ HUME'S LARK

◊ HUON ASTRAPIA

◊ HUTTON'S VIREO

◊ HWAMEI

70 Birds Kept as Pets

H	A	L	A	G	V	A	S	A	P	A	R	R	O	T
M	H	K	E	T	E	E	K	A	R	A	P	D	O	I
L	O	V	I	D	R	I	B	E	V	O	L	W	M	Y
L	O	D	P	S	I	T	T	A	C	U	L	A	L	B
D	E	R	R	Q	O	E	R	A	K	F	C	G	O	Y
R	C	I	H	I	V	N	I	J	I	A	T	O	R	M
A	L	Q	T	O	B	Q	G	N	W	N	E	O	I	N
G	E	C	U	A	U	A	C	C	W	D	L	S	I	E
I	C	O	O	E	K	H	L	N	A	W	S	E	N	K
R	T	C	S	E	D	C	L	L	O	N	U	T	I	C
E	U	K	U	H	U	B	O	B	E	E	A	K	E	I
G	S	A	N	E	C	I	N	C	C	R	G	R	P	H
D	Z	T	O	Z	K	I	A	N	V	V	B	I	Y	C
U	P	O	I	D	A	L	L	E	S	O	R	M	P	G
B	U	O	P	R	M	C	O	N	U	R	E	N	U	Z

◊ BUDGERIGAR
◊ CAIQUE
◊ CHICKEN
◊ COCKATIEL
◊ COCKATOO
◊ CONURE
◊ DOVE
◊ DUCK
◊ ECLECTUS
◊ GALAH
◊ GOOSE
◊ LORIINI
◊ LOVEBIRD
◊ MACAW
◊ OWL FINCH
◊ PARAKEET
◊ PIGEON
◊ PIONUS
◊ PSITTACULA
◊ RAINBOW LORY
◊ ROSELLA
◊ SONG CANARY
◊ UMBRELLA BIRD
◊ VASA PARROT

71 Birds in Spanish

X	T	C	I	J	Z	J	Z	P	O	R	O	T	O	E
U	A	U	H	W	C	H	A	O	Y	X	O	T	A	P
B	R	R	E	B	I	V	D	N	E	N	E	I	C	E
H	A	R	R	P	O	K	G	A	C	N	R	N	R	A
C	B	U	R	R	L	A	Q	B	S	V	O	T	L	J
O	I	C	E	M	L	R	U	I	P	A	I	O	P	E
G	L	A	R	L	O	D	C	R	X	U	K	A	A	N
U	L	W	I	Q	P	N	Z	C	B	J	P	O	T	R
J	A	N	L	P	T	O	U	S	M	A	J	L	I	O
A	A	H	L	B	M	L	R	E	M	E	C	E	B	C
D	C	W	O	Z	A	A	T	O	C	U	I	U	S	E
A	J	A	L	Z	H	T	S	N	E	Q	O	L	I	K
R	Z	O	R	G	V	C	E	R	O	C	B	L	B	A
I	R	O	J	R	A	V	V	X	I	P	X	O	F	U
O	Z	A	L	S	U	O	A	P	F	C	O	P	H	D

◊ ALONDRA
◊ AVESTRUZ
◊ BISBITA
◊ BUITRE
◊ CISNE
◊ COGUJADA
◊ CORNEJA
◊ CUERVO
◊ CURRUCA
◊ ESCRIBANO
◊ GALLINA
◊ HERRERILLO
◊ KIWI
◊ LORO
◊ PAPAMOSCAS
◊ PATO
◊ PAVO REAL
◊ PICO
◊ POLLO
◊ POLLUELO
◊ TARABILLA
◊ URRACA
◊ VENCEJO
◊ ZORZAL

72 Birds Beginning with “M”

M	A	V	D	R	I	B	R	E	L	L	I	M	L	I
A	O	M	M	I	L	E	Y	M	D	P	H	M	W	M
P	L	M	M	E	N	O	A	L	A	M	U	A	C	E
I	A	W	A	A	M	O	N	K	M	S	L	L	R	M
M	O	P	O	G	N	A	R	L	K	A	K	M	T	A
U	C	N	I	F	P	E	I	A	M	V	R	E	U	T
J	C	M	U	E	E	I	D	L	C	Q	M	S	D	N
M	A	B	U	A	M	E	E	O	A	A	O	P	H	E
L	M	G	M	T	K	T	L	M	L	M	M	U	S	G
M	M	E	I	H	E	E	E	L	W	I	N	A	M	A
M	E	U	S	S	Y	A	A	O	A	M	A	U	I	M
J	E	R	T	K	L	R	O	E	K	M	F	R	Y	X
M	R	S	L	Y	D	A	O	L	T	H	B	N	A	I
O	S	I	E	I	V	E	U	A	V	R	A	T	M	M
M	M	I	B	I	N	M	I	M	J	H	S	A	M	E

- ◊ MACARONI PENGUIN
- ◊ MACCOA DUCK
- ◊ MAGENTA PETREL
- ◊ MAGPIE
- ◊ MALAWI BATIS
- ◊ MALEO
- ◊ MALIA
- ◊ MALLARD
- ◊ MALLEEFOWL
- ◊ MANED OWL
- ◊ MARAIL GUAN
- ◊ MARSH OWL
- ◊ MASKED APALIS
- ◊ MAUI CREEPER
- ◊ MEALY PARROT
- ◊ MERLIN
- ◊ MILKY STORK
- ◊ MILLERBIRD
- ◊ MISTLE THRUSH
- ◊ MOA
- ◊ MONK PARAKEET
- ◊ MUSK DUCK
- ◊ MUTE SWAN
- ◊ MYNAH

73

Excerpt from *The Golden Bird* by Jacob and Wilhelm Grimm

T	H	R	U	F	W	N	P	H	G	U	O	R	H	T
G	E	F	E	O	D	L	I	N	H	E	B	I	R	D
R	M	L	R	J	U	E	I	J	G	H	G	T	L	S
S	T	R	U	C	K	M	L	A	U	B	O	E	L	R
O	A	P	K	Y	O	C	M	T	T	H	V	A	E	E
M	L	E	N	C	J	U	H	N	S	L	T	Y	F	H
E	D	E	G	X	L	G	W	C	E	U	G	R	S	T
T	V	L	N	P	I	O	B	W	D	V	R	O	E	A
H	H	S	I	L	D	E	T	H	G	I	L	A	F	E
I	B	E	N	E	A	T	H	J	U	S	T	H	X	F
N	M	O	I	P	W	H	O	S	E	W	T	O	F	H
G	O	O	H	W	A	T	D	F	N	U	H	S	A	W
M	Z	Y	S	E	K	P	L	G	O	L	D	E	N	D
E	A	P	P	L	E	E	A	Y	S	G	L	I	N	Q
L	A	R	T	T	W	K	M	A	S	T	E	R	Z	L

THE YOUTH LAY DOWN BENEATH THE TREE, BUT KEPT AWAKE, AND DID NOT LET SLEEP MASTER HIM. WHEN IT STRUCK TWELVE, SOMETHING RUSTLED THROUGH THE AIR, AND IN THE MOONLIGHT HE SAW A BIRD COMING WHOSE FEATHERS WERE SHINING WITH GOLD. THE BIRD ALIGHTED ON THE TREE, AND HAD JUST PLUCKED OFF AN APPLE, WHEN THE YOUTH SHOT AN ARROW AT HIM. THE BIRD FLEW OFF, BUT THE ARROW HAD STRUCK HIS PLUMAGE, AND ONE OF HIS GOLDEN FEATHERS FELL DOWN.

74 Birds of Prey

L	E	R	T	S	E	K	S	C	O	P	S	O	W	L
D	Y	E	C	B	A	L	D	E	A	G	L	E	L	J
R	S	P	A	R	R	O	W	H	A	W	K	W	E	Y
I	B	K	R	L	E	G	B	O	E	E	O	E	T	E
B	L	Z	A	W	G	I	O	G	N	Y	A	O	I	L
Y	A	N	C	O	U	Y	E	S	M	R	S	G	K	G
R	C	E	A	Y	T	U	R	G	H	P	A	S	L	A
A	K	D	R	N	E	L	Y	F	R	A	L	B	I	E
T	B	M	A	W	T	P	H	E	A	E	W	O	A	H
E	A	E	H	A	I	S	Y	O	D	L	M	K	N	S
R	Z	R	F	T	K	O	H	B	B	I	C	M	S	I
C	A	L	K	T	D	F	K	I	E	B	K	O	A	F
E	P	I	W	R	E	B	T	U	K	S	Y	A	N	L
S	R	N	M	A	R	S	H	H	A	R	R	I	E	R
E	L	G	A	E	Y	P	R	A	H	I	A	A	K	M

◊ BALD EAGLE
◊ BARN OWL
◊ BESRA
◊ BLACK BAZA
◊ CARACARA
◊ FISH-EAGLE
◊ GOSHAWK
◊ GYRFALCON
◊ HARPY EAGLE
◊ HOBBY
◊ KESTREL
◊ LAMMER-GEIER
◊ MARSH-HARRIER
◊ MERLIN
◊ OSPREY
◊ PYGMY OWL
◊ RED KITE
◊ SCOPS OWL
◊ SEA-EAGLE
◊ SECRETARY-BIRD
◊ SHIKRA
◊ SNAIL KITE
◊ SPARROW-HAWK
◊ TAWNY OWL

75 Bird-related Words in Poetry

W	S	W	O	R	C	S	W	I	L	B	Y	P	L	W
Y	L	W	W	S	N	J	K	H	W	Q	K	I	M	E
E	I	P	A	Y	C	I	Y	Y	O	N	J	P	X	J
L	T	Z	R	L	I	P	B	W	L	Z	F	B	T	A
L	T	F	E	Y	L	H	R	O	E	A	Y	H	E	C
O	L	Z	G	E	O	O	O	N	R	I	R	J	C	K
W	E	H	A	W	K	E	W	R	E	U	C	K	A	D
H	B	C	A	Q	C	N	C	I	S	S	P	V	R	A
A	I	T	H	S	U	I	G	H	N	W	T	I	R	W
M	R	S	P	I	D	X	F	N	J	O	B	Q	I	A
M	D	W	R	C	C	E	Y	W	I	K	E	E	O	T
E	S	A	A	O	O	K	C	U	C	W	L	G	N	O
R	H	N	V	Y	A	Y	S	A	K	G	Z	K	I	J
V	O	H	E	R	O	N	L	F	A	E	N	R	E	P
M	C	V	N	K	X	B	F	E	A	T	H	E	R	S

◊ BLACKBIRD
◊ CARRION
◊ CHICKS
◊ CROW
◊ CUCKOO
◊ DUCK
◊ EAGLE
◊ FEATHERS

◊ HAWK
◊ HERON
◊ JACKDAW
◊ LITTLE BIRDS
◊ NEST
◊ OWL
◊ PHOENIX
◊ PIGEON

◊ RAVEN
◊ ROBIN
◊ SKYLARK
◊ SWALLOW
◊ SWAN
◊ THRUSH
◊ WING
◊ YELLOW-HAMMER

Ground Nesters

K	R	A	L	W	O	D	A	E	M	E	H	T	O	N
D	D	Y	R	A	J	T	H	G	I	N	E	G	T	I
R	L	A	S	K	R	E	D	S	H	A	N	K	R	U
A	F	B	F	E	B	O	B	O	L	I	N	K	I	G
T	H	S	U	R	H	T	T	I	M	R	E	H	S	N
S	X	A	W	O	O	D	L	A	R	K	N	K	M	E
U	G	T	E	M	N	S	L	F	K	I	Y	M	D	P
B	U	Q	I	A	T	F	T	C	T	L	T	C	V	O
P	L	P	W	N	W	N	U	R	A	G	U	E	N	O
P	L	S	W	G	A	D	A	R	I	R	B	G	R	T
V	U	N	S	S	H	M	K	P	L	C	T	A	R	N
U	F	F	A	N	D	E	O	E	S	K	H	B	K	E
X	Q	E	F	N	I	A	W	U	L	I	A	U	Q	G
L	H	V	A	I	G	P	A	R	T	R	I	D	G	E
P	U	S	L	M	N	V	E	G	N	I	W	P	A	L

◊ BOBOLINK
◊ BUSTARD
◊ CURLEW
◊ DUCK
◊ FLAMINGO
◊ GENTOO PENGUIN
◊ GULL
◊ HERMIT THRUSH
◊ LAPWING
◊ MEADOW-LARK
◊ NIGHTJAR
◊ OSTRICH
◊ PARTRIDGE
◊ PHEASANT
◊ PUFFIN
◊ QUAIL
◊ REDSHANK
◊ SAND MARTIN
◊ SKYLARK
◊ SNIPE
◊ SWAN
◊ TERN
◊ TINAMOU
◊ WOODLARK

77 Birds Beginning with "F"

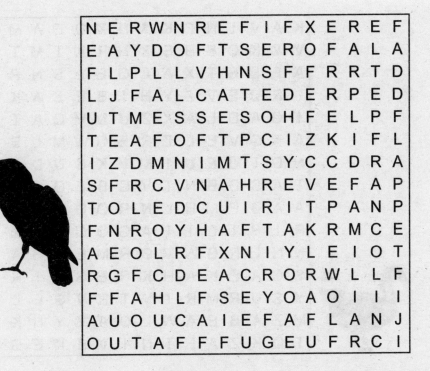

N	E	R	W	N	R	E	F	I	F	X	E	R	E	F
E	A	Y	D	O	F	T	S	E	R	O	F	A	L	A
F	L	P	L	L	V	H	N	S	F	F	R	R	T	D
L	J	F	A	L	C	A	T	E	D	E	R	P	E	D
U	T	M	E	S	S	E	S	O	H	F	E	L	P	F
T	E	A	F	O	F	T	P	C	I	Z	K	I	F	L
I	Z	D	M	N	I	M	T	S	Y	C	C	D	R	A
S	F	R	C	V	N	A	H	R	E	V	E	F	A	P
T	O	L	E	D	C	U	I	R	I	T	P	A	N	P
F	N	R	O	Y	H	A	F	T	A	K	R	M	C	E
A	E	O	L	R	F	X	N	I	Y	L	E	I	O	T
R	G	F	C	D	E	A	C	R	O	R	W	L	L	F
F	F	A	H	L	F	S	E	Y	O	A	O	I	I	I
A	U	O	U	C	A	I	E	F	A	F	L	A	N	J
O	U	T	A	F	F	F	U	G	E	U	F	R	C	I

◊ FAIRY TERN
◊ FALCATED TEAL
◊ FALCON
◊ FAMILIAR CHAT
◊ FANTI SAW-WING
◊ FASCIATED WREN
◊ FATU HIVA MONARCH
◊ FERNWREN
◊ FESTIVE AMAZON
◊ FIERY TOPAZ
◊ FIJI PETREL
◊ FINCH
◊ FISH CROW
◊ FLAME ROBIN
◊ FLAPPET LARK
◊ FLORES CROW
◊ FLOWER-PECKER
◊ FLUTIST WREN
◊ FLYCATCHER
◊ FOREST FODY
◊ FORMOSAN MAGPIE
◊ FOX KESTREL
◊ FRANCOLIN
◊ FRECKLED DUCK

78 Disney Birds

K	A	V	I	N	Z	K	A	U	Z	D	E	W	M	L
V	Y	K	C	E	B	S	Z	H	R	K	I	M	T	Z
A	F	L	E	T	X	A	A	Q	E	L	S	N	R	Y
L	R	U	E	V	Z	Y	H	I	B	E	Z	W	K	M
I	G	A	D	L	A	X	Z	U	D	V	Q	A	T	Y
A	K	C	V	B	L	Z	R	E	G	W	M	L	B	U
N	D	I	U	E	U	I	M	V	K	C	U	D	C	M
T	A	S	D	B	N	I	V	G	B	F	O	O	M	T
A	A	B	P	M	H	L	N	R	O	D	L	I	K	J
R	I	P	I	C	T	I	A	G	O	Q	F	E	X	D
K	N	L	R	G	W	M	O	R	M	E	T	H	A	K
S	C	A	E	K	A	H	K	R	E	G	G	I	R	T
Y	S	U	R	M	R	I	M	T	R	V	S	E	L	R
M	Z	A	B	E	A	W	L	D	A	Y	Y	H	K	F
T	D	K	Z	A	E	T	N	I	V	E	K	E	G	O

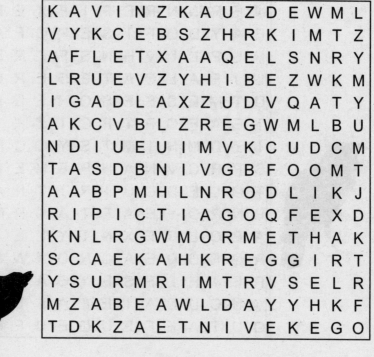

◊ ABIGAIL
◊ AMELIA
◊ ARCHIMEDES
◊ BECKY
◊ BOOMER
◊ BUCK
◊ BUZZIE
◊ DAISY
◊ DARKWING
◊ DINKY
◊ DODO
◊ FLIT
◊ HAYABUSA
◊ HEI-HEI
◊ IAGO
◊ KEVIN
◊ MCDUCK
◊ ORVILLE
◊ RAVEN
◊ TRIGGER
◊ VALIANT
◊ WALDO
◊ WILBUR
◊ ZAZU

Birds Beginning with "T"

R	E	G	I	T	D	T	R	I	L	L	E	R	C	A
T	N	N	S	C	E	I	Y	T	O	M	T	I	T	M
A	S	R	T	T	T	N	U	T	R	E	G	S	I	I
F	A	U	E	W	F	A	T	M	R	U	T	D	N	L
T	R	P	I	T	U	M	T	U	T	E	S	A	K	O
N	U	T	Z	C	T	O	S	E	R	U	E	L	E	T
I	E	T	M	T	P	U	N	E	T	K	L	Y	R	E
T	A	X	I	K	A	A	P	L	F	I	E	A	B	H
N	N	R	N	T	C	N	A	T	B	A	L	Y	I	A
A	J	O	G	U	M	I	A	N	R	K	T	B	R	K
R	T	S	O	A	P	O	R	G	E	F	H	V	D	A
Y	E	T	Y	U	H	O	U	H	E	M	R	A	E	T
T	K	C	O	G	H	C	T	S	J	R	U	T	G	E
A	E	R	S	T	R	U	T	E	E	E	S	I	U	N
T	T	R	A	G	O	P	A	N	T	J	H	I	O	T

◊ TAKAHE
◊ TANAGER
◊ TCHAGRA
◊ TEPUI WREN
◊ TERN
◊ THEKLA LARK
◊ THORNBILL
◊ THRUSH
◊ TIGER SHRIKE
◊ TINAMOU
◊ TINKERBIRD
◊ TITMOUSE
◊ TOLIMA DOVE
◊ TOMTIT
◊ TOPKNOT PIGEON
◊ TOUCANET
◊ TRAGOPAN
◊ TREE MARTIN
◊ TRILLER
◊ TROUPIAL
◊ TUFTED JAY
◊ TURKEY
◊ TWITE
◊ TYRANT BIRD

80 Ibises and Spoonbills

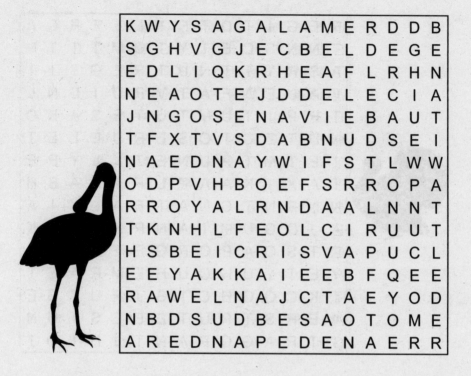

K	W	Y	S	A	G	A	L	A	M	E	R	D	D	B
S	G	H	V	G	J	E	C	B	E	L	D	E	G	E
E	D	L	I	Q	K	R	H	E	A	F	L	R	H	N
N	E	A	O	T	E	J	D	D	E	L	E	C	I	A
J	N	G	O	S	E	N	A	V	I	E	B	A	U	T
T	F	X	T	V	S	D	A	B	N	U	D	S	E	I
N	A	E	D	N	A	Y	W	I	F	S	T	L	W	W
O	D	P	V	H	B	O	E	F	S	R	R	O	P	A
R	R	O	Y	A	L	R	N	D	A	A	L	N	N	T
T	K	N	H	L	F	E	O	L	C	I	R	U	U	T
H	S	B	E	I	C	R	I	S	V	A	P	U	C	L
E	E	Y	A	K	K	A	I	E	E	B	F	Q	E	E
R	A	W	E	L	N	A	J	C	T	A	E	Y	O	D
N	B	D	S	U	D	B	E	S	A	O	T	O	M	E
A	R	E	D	N	A	P	E	D	E	N	A	E	R	R

- ◊ AFRICAN
- ◊ ANDEAN
- ◊ AUSTRALIAN
- ◊ BALD
- ◊ BUFF-NECKED
- ◊ CRESTED
- ◊ EURASIAN
- ◊ GIANT
- ◊ GLOSSY
- ◊ GREEN
- ◊ HADADA
- ◊ MALAGASY
- ◊ NORTHERN
- ◊ OLIVE
- ◊ PUNA
- ◊ RED-NAPED
- ◊ ROSEATE
- ◊ ROYAL
- ◊ SACRED
- ◊ SAO TOME
- ◊ SCARLET
- ◊ WATTLED
- ◊ WHITE
- ◊ YELLOW-BILLED

81 Excerpt from *To a Skylark* by Percy Bysshe Shelley

O	S	E	N	Y	T	S	E	R	U	O	P	R	E	T
E	S	U	F	O	R	P	R	S	D	U	O	L	C	I
T	H	Y	A	J	B	L	I	T	H	E	E	S	O	R
W	R	O	E	D	F	N	D	O	S	T	U	W	E	B
E	H	A	L	I	G	H	T	N	I	N	G	H	T	E
R	U	O	E	E	O	E	U	E	E	V	G	J	A	G
T	S	S	S	H	L	R	K	V	M	I	U	H	O	U
T	F	T	P	E	D	I	N	A	H	S	T	E	L	N
S	D	R	I	B	E	F	T	E	T	R	H	C	F	D
E	E	A	R	L	N	X	R	H	A	R	O	A	L	B
G	E	I	I	L	L	I	K	E	A	R	U	R	L	X
N	P	N	T	U	I	N	X	O	V	T	N	U	U	V
I	E	S	E	A	S	A	S	Y	B	E	E	G	F	T
W	W	V	B	R	I	G	H	T	N	I	N	G	N	M
G	N	I	G	N	I	S	D	E	I	D	O	B	N	U

HAIL TO THEE, BLITHE SPIRIT!
BIRD THOU NEVER WERT,
THAT FROM HEAVEN, OR NEAR IT,
POUREST THY FULL HEART
IN PROFUSE STRAINS OF UNPREMEDITATED ART.

HIGHER STILL AND HIGHER
FROM THE EARTH THOU SPRINGEST
LIKE A CLOUD OF FIRE;
THE BLUE DEEP THOU WINGEST,
AND SINGING STILL DOST SOAR, AND SOARING EVER
SINGEST.

IN THE GOLDEN LIGHTNING
OF THE SUNKEN SUN,
O'ER WHICH CLOUDS ARE BRIGHT'NING,
THOU DOST FLOAT AND RUN;
LIKE AN UNBODIED JOY WHOSE RACE IS JUST BEGUN.

82

Excerpt from *The Birds of Washington* by Dawson and Bowles: The American Magpie

B	M	D	E	N	G	I	S	R	E	T	N	U	O	C
Y	S	M	T	R	E	H	T	O	N	A	S	P	L	E
T	N	A	E	R	C	S	I	M	Y	A	R	I	G	E
A	S	R	A	D	L	O	B	L	U	O	N	C	D	U
K	S	A	D	I	E	J	S	C	P	D	U	T	L	Q
E	P	U	M	N	A	R	Y	E	I	N	I	U	U	R
N	U	D	I	D	B	R	R	S	N	L	E	R	O	A
S	N	E	R	I	E	L	P	I	T	U	A	E	W	M
R	I	R	I	G	Y	U	N	K	T	S	L	S	A	V
E	T	F	N	N	T	G	M	R	C	S	L	Q	S	I
H	I	E	G	A	V	K	I	A	F	O	A	U	T	L
T	V	J	B	T	R	V	L	R	G	E	F	E	A	L
A	E	L	S	I	N	S	U	C	H	P	I	T	K	A
E	Y	O	H	O	H	C	T	E	R	W	I	H	E	I
F	U	S	B	N	L	A	H	T	I	W	I	E	T	N

HERE IS ANOTHER OF THOSE RASCALS IN FEATHERS WHO KEEP ONE ALTERNATELY GRUMBLING AND ADMIRING. AS AN ABSTRACT PROPOSITION ONE WOULD NOT STAKE A SOU MARQUEE ON THE VIRTUE OF A MAGPIE; BUT TAKEN IN THE CONCRETE, WITH A SLY WINK AND A SAUCY TILT OF THE TAIL... THE MAGPIE IS INDISPUTABLY A WRETCH, A MISCREANT, A CUNNING THIEF, A HEARTLESS MARAUDER, A BRIGAND BOLD—OH, CALL HIM WHAT YOU WILL! BUT, WITHAL, HE IS SUCH A PICTURESQUE VILLAIN, THAT AS OFTEN AS YOU ARE STIRRED WITH RIGHTEOUS INDIGNATION AND IMPELLED TO PUNITIVE SLAUGHTER, YOU FALL TO WONDERING IF YOUR COMMISSION AS AVENGER IS PROPERLY COUNTERSIGNED, AND—SHIRK THE TASK OUTRIGHT.

83 Lesser at the Beginning

L	H	D	U	G	R	E	E	N	L	E	T	Z	E	T
A	C	A	E	H	R	E	E	D	U	D	B	O	T	P
C	N	B	E	N	Q	H	X	K	B	S	D	N	U	D
U	I	E	O	A	R	F	I	S	H	E	A	G	L	E
O	F	D	L	O	I	S	O	O	C	T	T	Y	F	L
C	D	A	O	W	K	N	R	O	U	X	E	A	J	L
Y	L	M	T	A	O	T	E	J	K	L	X	A	W	I
K	O	F	D	T	W	Y	D	A	L	C	C	N	N	B
E	G	E	E	I	I	A	T	O	L	A	U	A	H	E
S	E	Q	N	E	R	P	W	O	N	E	Q	C	O	L
T	W	G	U	U	O	L	M	A	O	E	Z	I	R	T
R	S	J	H	N	E	P	U	A	C	S	K	R	N	S
E	P	T	O	G	N	I	M	A	L	F	F	O	E	I
L	O	Q	S	J	B	V	J	W	K	E	H	L	R	R
N	K	W	A	H	T	H	G	I	N	I	M	F	O	B

◊ ADJUTANT
◊ BRISTLEBILL
◊ COUCAL
◊ CUCKOO
◊ ELAENIA
◊ FISH-EAGLE
◊ FLAMINGO
◊ FLORICAN
◊ GOLDFINCH
◊ GREENLET
◊ HORNERO
◊ JACANA
◊ KESTREL
◊ KISKADEE
◊ MELAMPITTA
◊ MOORHEN
◊ NIGHTHAWK
◊ NODDY
◊ NOTHURA
◊ RHEA
◊ SCAUP
◊ SHORTWING
◊ SOOTY-OWL
◊ YELLOWLEGS

84 Bird Painters and Illustrators

F	B	T	A	D	Y	A	N	E	N	T	E	N	C	E
E	R	E	O	B	R	O	O	K	S	N	N	P	E	U
L	O	O	S	I	X	J	D	A	W	I	M	K	P	E
L	W	A	M	I	O	J	T	O	U	L	N	H	R	O
A	N	O	D	N	V	E	D	Q	H	I	T	O	O	M
C	E	B	S	A	C	S	Z	I	G	O	R	S	H	A
I	V	S	R	H	D	R	M	H	E	E	E	M	T	T
M	O	E	I	N	N	E	T	G	H	B	B	U	D	T
N	L	N	A	S	S	D	S	C	T	A	E	L	O	E
A	G	L	F	U	V	N	L	S	I	B	D	L	O	R
L	A	R	S	E	N	E	A	M	N	B	U	A	W	N
E	E	F	A	M	B	R	T	I	G	O	A	R	T	E
W	E	L	I	U	R	B	E	T	X	T	E	N	E	S
I	L	B	R	S	E	S	R	H	I	T	F	E	A	K
S	Q	V	N	O	B	U	D	U	A	D	A	Y	R	Y

◊ ABBOTT
◊ AUDEBERT
◊ AUDUBON
◊ BELCHER
◊ BRENDERS
◊ BROOKS
◊ BROWNE
◊ CHING
◊ DIXON
◊ JONSSON
◊ KNIGHT
◊ LANDSDOWNE
◊ LARSEN
◊ LEWIS
◊ MATTERNES
◊ MICALLEF
◊ MULLARNEY
◊ QUINN
◊ SLATER
◊ SMITH
◊ SUSEMIHL
◊ TINGXI
◊ VARELA
◊ WOOD-THORPE

85 Gruiformes

S	G	N	A	L	I	S	A	B	E	L	L	I	N	E
S	U	J	E	K	Q	U	A	V	A	L	N	J	F	F
Q	A	E	L	H	E	K	N	M	S	V	E	Y	X	L
N	M	K	I	I	E	W	O	I	I	A	N	Y	P	C
E	R	A	A	Z	M	V	F	S	F	D	E	H	S	L
H	A	R	R	L	G	P	I	I	R	O	H	S	O	A
P	I	C	G	V	A	B	K	T	N	A	R	U	R	Y
M	L	Y	N	C	L	V	E	I	A	F	E	M	A	S
A	K	D	I	E	L	Z	A	I	N	N	O	E	S	A
W	B	D	R	R	I	A	L	E	O	C	O	O	T	N
S	R	U	O	K	N	A	I	I	A	W	A	H	T	R
A	O	R	N	E	U	K	I	N	G	R	A	I	L	A
T	L	N	S	X	L	E	B	E	R	G	N	U	S	I
E	G	M	V	N	E	H	D	O	O	W	T	Y	M	L
W	A	T	E	R	H	E	N	M	A	K	I	R	A	W

◊ BROLGA
◊ COOT
◊ FINFOOT
◊ GALLINULE
◊ GUAM RAIL
◊ HAWAIIAN
◊ INVISIBLE
◊ ISABELLINE
◊ KING RAIL
◊ KOSRAE
◊ LAYSAN RAIL
◊ LIMPKIN
◊ MAKIRA
◊ NATIVEHEN
◊ RUDDY CRAKE
◊ SAKALAVA
◊ SNORING RAIL
◊ SORA
◊ SUNGREBE
◊ SWAMPHEN
◊ UNIFORM
◊ WATERHEN
◊ WEKA
◊ WOODHEN

86 Famous Birdwatchers

K	L	L	A	V	N	R	O	J	N	T	O	K	P	M
R	L	E	P	P	E	O	K	A	A	R	C	R	M	M
A	C	A	R	T	E	R	M	T	T	E	I	T	R	A
L	Y	K	J	D	O	T	Y	K	D	N	D	K	E	S
C	O	N	C	S	I	D	A	E	C	H	N	Q	T	T
N	L	C	T	P	G	E	R	E	R	E	H	N	N	E
E	A	R	B	H	S	L	P	O	S	L	E	J	I	R
Z	O	A	Q	T	U	H	E	M	F	M	S	E	W	W
N	B	V	N	N	I	D	A	G	E	F	I	M	U	Y
A	H	E	D	L	W	N	U	L	S	D	I	O	E	N
R	R	N	L	A	L	L	C	J	D	K	S	L	H	A
F	H	I	R	E	L	K	A	O	T	S	I	Q	C	M
V	P	D	W	I	J	Z	M	A	O	A	Q	T	C	W
H	S	I	C	O	C	G	Z	R	B	K	A	N	I	E
X	S	K	E	L	K	C	U	B	N	R	O	H	E	N

◊ BAILEY
◊ CARTER
◊ CEDERLUND
◊ CLARK
◊ CLEMENTS
◊ CLIFFORD
◊ CRAVEN
◊ EDWARDS
◊ FRANZEN
◊ GULLICK
◊ HORNBUCKLE
◊ JORNVALL
◊ KAESTNER
◊ KOEPPEL
◊ LEHNERT
◊ LEWIS
◊ MASTER
◊ NEWMAN
◊ ODDIE
◊ PITMAN
◊ PRINCE PHILLIP
◊ ROSSOUW
◊ ROSTRON
◊ WINTER

87 Urban birds

Y	L	L	I	B	N	R	O	H	A	W	E	O	K	T
K	S	Q	N	G	N	I	L	R	A	T	S	W	O	F
C	I	B	O	Z	G	O	S	D	T	H	O	K	O	I
O	X	N	E	V	O	D	K	C	O	R	J	H	R	W
N	P	T	G	O	N	C	P	D	R	C	K	G	D	S
N	D	L	I	F	A	E	R	A	X	W	R	D	K	J
U	E	H	P	J	I	W	P	B	L	E	N	R	X	J
D	R	I	B	N	U	S	Z	Q	E	T	B	I	T	N
A	H	D	D	N	N	B	H	N	E	L	Q	B	I	S
E	G	A	E	O	L	T	F	E	A	N	U	K	T	W
L	D	V	E	U	H	I	K	C	R	X	S	C	T	A
T	A	I	E	R	N	A	K	W	H	I	R	A	A	L
R	Q	T	U	C	R	C	O	C	S	N	V	L	E	L
Y	I	S	H	A	A	R	N	I	B	O	R	B	R	O
T	H	T	P	P	C	M	E	I	P	G	A	M	G	W

- ◊ BLACKBIRD
- ◊ BLACKCAP
- ◊ BLUE TIT
- ◊ CROW
- ◊ DUNNOCK
- ◊ GREAT TIT
- ◊ GREENFINCH
- ◊ HORNBILL
- ◊ JACKDAW
- ◊ KINGFISHER
- ◊ MAGPIE
- ◊ PARAKEET
- ◊ PIGEON
- ◊ RAVEN
- ◊ ROBIN
- ◊ ROCK DOVE
- ◊ ROOK
- ◊ SISKIN
- ◊ SPARROW
- ◊ STARLING
- ◊ SUNBIRD
- ◊ SWALLOW
- ◊ SWIFT
- ◊ THRUSH

Predatory and Scavenger Birds

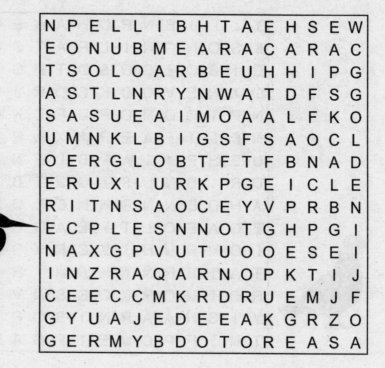

N	P	E	L	L	I	B	H	T	A	E	H	S	E	W
E	O	N	U	B	M	E	A	R	A	C	A	R	A	C
T	S	O	L	O	A	R	B	E	U	H	H	I	P	G
A	S	T	L	N	R	Y	N	W	A	T	D	F	S	G
S	A	S	U	E	A	I	M	O	A	A	L	F	K	O
U	M	N	K	L	B	I	G	S	F	S	A	O	C	L
O	E	R	G	L	O	B	T	F	T	F	B	N	A	D
E	R	U	X	I	U	R	K	P	G	E	I	C	L	E
R	I	T	N	S	A	O	C	E	Y	V	P	R	B	N
E	C	P	L	E	S	N	N	O	T	G	H	P	G	I
N	A	X	G	P	V	U	T	U	O	O	E	S	E	I
I	N	Z	R	A	Q	A	R	N	O	P	K	T	I	J
C	E	E	C	C	M	K	R	D	R	U	E	M	J	F
G	Y	U	A	J	E	D	E	E	A	K	G	R	Z	O
G	E	R	M	Y	B	D	O	T	O	R	E	A	S	A

- ◊ AMERICAN CROW
- ◊ BALD EAGLE
- ◊ BLACK KITE
- ◊ BONELLI'S EAGLE
- ◊ CARACARA
- ◊ CINEREOUS VULTURE
- ◊ COOPER'S HAWK
- ◊ EGYPTIAN VULTURE
- ◊ FISH EAGLE
- ◊ GIANT PETREL
- ◊ GOLDEN EAGLE
- ◊ GRIFFON VULTURE
- ◊ HOODED VULTURE
- ◊ LOON
- ◊ MAGPIE
- ◊ MARABOU STORK
- ◊ OSPREY
- ◊ RAVEN
- ◊ SHEATHBILL
- ◊ SKUA
- ◊ STEPPE EAGLE
- ◊ TAWNY EAGLE
- ◊ TURKEY VULTURE
- ◊ TURNSTONE

89

Famous People with Bird-related Names

S	U	E	I	Y	N	L	Y	R	E	H	S	W	N	L
H	Y	Z	C	Y	N	N	S	E	A	A	V	A	T	R
E	E	N	W	H	R	O	H	V	P	L	H	C	F	I
G	N	Y	I	J	R	J	T	I	L	T	A	P	T	C
O	R	F	M	B	A	I	B	R	A	P	O	R	J	K
H	U	M	D	U	O	S	S	N	I	R	A	L	R	Y
S	O	E	E	S	T	R	O	T	A	Z	C	A	V	Y
R	G	J	N	A	O	J	B	N	O	D	J	E	E	R
U	I	R	W	B	D	O	R	B	R	P	W	C	M	N
S	S	V	E	K	B	O	H	A	Y	P	H	N	E	I
S	O	R	C	G	N	J	W	G	Y	A	F	E	A	U
E	T	A	A	N	O	O	E	L	N	C	R	R	R	Q
L	J	X	I	Z	H	R	Y	D	A	L	L	O	G	A
L	O	E	V	S	H	I	Y	M	H	R	X	L	X	O
Q	Q	Z	T	A	Y	L	O	R	U	S	K	F	S	J

- ◊ ANDY GRIFFIN
- ◊ BOB CRANE
- ◊ CHRIS-TOPHER WREN
- ◊ FLORENCE NIGHTINGALE
- ◊ GRAEME SWANN
- ◊ GREGORY PECK
- ◊ HOWARD HAWKS
- ◊ JACK CHICK
- ◊ JASON MOMOA
- ◊ JOAQUIN PHOENIX
- ◊ JONATHAN SWIFT
- ◊ LADY BIRD JOHNSON
- ◊ LARRY BIRD
- ◊ MEADOW-LARK LEMON
- ◊ RICKY MARTIN
- ◊ RIVER PHOENIX
- ◊ ROBERT FALCON SCOTT
- ◊ ROBIN GIBB
- ◊ RONNIE DOVE
- ◊ RUSSELL CROWE
- ◊ SHERYL CROW
- ◊ SIGOURNEY WEAVER
- ◊ TAYLOR SWIFT
- ◊ TONY WOODCOCK

Full of Finches

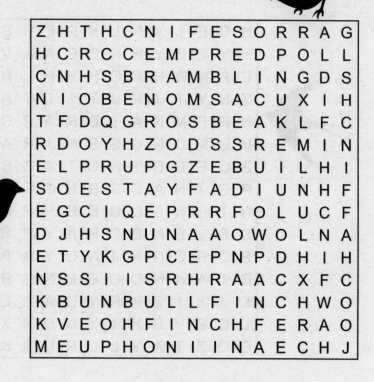

Z	H	T	H	C	N	I	F	E	S	O	R	R	A	G
H	C	R	C	C	E	M	P	R	E	D	P	O	L	L
C	N	H	S	B	R	A	M	B	L	I	N	G	D	S
N	I	O	B	E	N	O	M	S	A	C	U	X	I	H
T	F	D	Q	G	R	O	S	B	E	A	K	L	F	C
R	D	O	Y	H	Z	O	D	S	S	R	E	M	I	N
E	L	P	R	U	P	G	Z	E	B	U	I	L	H	I
S	O	E	S	T	A	Y	F	A	D	I	U	N	H	F
E	G	C	I	Q	E	P	R	R	F	O	L	U	C	F
D	J	H	S	N	U	N	A	A	O	W	O	L	N	A
E	T	Y	K	G	P	C	E	P	N	P	D	H	I	H
N	S	S	I	I	S	R	H	R	A	A	C	X	F	C
K	B	U	N	B	U	L	L	F	I	N	C	H	W	O
K	V	E	O	H	F	I	N	C	H	F	E	R	A	O
M	E	U	P	H	O	N	I	I	N	A	E	C	H	J

◊ APAPANE
◊ AZORES
◊ BRAMBLING
◊ BULLFINCH
◊ CANARY
◊ CARDUELIS
◊ CHAFFINCH
◊ CROSSBILL
◊ DESERT
◊ EUPHONIINAE
◊ GOLDFINCH
◊ GROSBEAK
◊ HAWFINCH
◊ HOODED
◊ HOUSE
◊ PINE
◊ PO’OULI
◊ PURPLE
◊ REDPOLL
◊ RHODO-PECHYS
◊ ROSEFINCH
◊ SERIN
◊ SISKIN
◊ TENERIFE

91 Birds of Asia

N	C	H	E	A	R	K	R	O	T	S	E	G	L	L
I	D	U	R	M	R	L	O	G	N	O	R	D	I	P
L	I	R	O	L	L	E	R	S	L	L	W	M	E	V
T	S	H	S	U	R	H	T	G	T	O	M	T	A	B
A	W	S	V	K	K	G	A	R	O	R	R	M	O	F
V	G	L	O	O	N	R	N	D	A	E	I	O	H	S
A	U	P	L	R	G	W	P	I	L	D	B	C	F	R
H	M	K	I	A	T	E	K	E	L	Y	M	A	H	E
A	Q	G	N	T	C	A	G	Q	A	R	O	S	E	M
M	K	E	B	K	T	V	B	E	E	C	A	R	C	M
E	Y	L	E	G	O	A	W	L	I	P	O	T	E	I
R	M	R	N	G	R	E	B	E	A	P	D	C	S	K
K	M	I	J	U	X	B	N	U	A	R	G	U	K	S
O	X	P	A	R	A	K	E	E	T	Y	Z	A	C	M
P	Z	U	W	B	L	L	I	B	N	R	O	H	M	K

◊ ARCTIC LOON
◊ BANDED PITTA
◊ BROWN BOOBY
◊ CAPE PETREL
◊ GARGANEY
◊ GREATER RACKET-TAILED DRONGO
◊ GREEN MAGPIE
◊ HAMERKOP
◊ HIMALAYAN WOOD-PECKER
◊ INDIAN PEACOCK
◊ INDIAN ROLLER
◊ INDIAN SKIMMER
◊ KNOB-BILLED DUCK
◊ LITTLE GREBE
◊ MILKY STORK
◊ ORIENTAL DARTER
◊ ORIENTAL PIED HORNBILL
◊ OSTRICH
◊ RED-BREASTED PARAKEET
◊ RUFOUS-BELLIED NILTAVA
◊ RUFOUS-CAPPED BABBLER
◊ SCARCE SPOT-WINGED STARLING
◊ WANDERING ALBATROSS
◊ WHITE-CRESTED LAUGHING THRUSH

92 Poultry

I	U	A	Y	W	L	W	O	F	A	E	N	I	U	G
E	W	F	E	E	T	F	T	N	A	S	A	E	H	P
C	L	Q	I	G	K	P	I	Z	E	F	C	L	W	H
B	I	T	E	G	D	R	I	W	E	K	M	N	Q	F
W	L	T	T	M	A	I	U	G	D	U	C	K	X	R
O	E	I	S	A	S	N	R	T	E	A	G	I	G	A
M	R	N	W	E	W	W	D	T	R	O	A	V	H	N
M	E	A	R	B	M	Q	A	E	R	G	N	U	P	C
A	K	M	A	U	S	O	O	N	R	A	F	F	S	O
T	C	O	S	Y	S	S	D	R	E	G	P	D	R	L
N	O	U	U	Q	T	E	P	O	E	H	C	H	S	I
A	C	L	U	R	U	J	E	H	K	R	E	N	Y	N
B	P	A	I	Q	Q	A	G	G	A	A	O	P	Y	C
T	I	C	U	L	D	C	B	E	R	O	R	K	N	A
L	H	P	E	A	F	O	W	L	D	E	S	O	O	G

◊ BANTAM
◊ CHICKEN
◊ COCKEREL
◊ DOMESTIC
◊ DRAKE
◊ DUCK
◊ FRANCOLIN
◊ GANDER
◊ GOOSE
◊ GUINEAFOWL
◊ LEGHORN
◊ OSTRICH
◊ PARTRIDGE
◊ PEAFOWL
◊ PHEASANT
◊ PIGEON
◊ QUAIL
◊ RHEA
◊ SNOOD
◊ SQUAB
◊ SWAN
◊ TINAMOU
◊ TURKEY
◊ WATTLE

Movie Title Birds

S	W	O	R	R	A	P	S	P	S	D	H	G	C	V
F	A	T	H	E	R	K	P	W	R	Y	R	G	N	A
I	O	P	I	X	R	R	U	I	H	V	S	O	W	P
T	H	V	P	O	E	U	B	B	U	E	Y	O	R	T
H	L	I	T	T	L	E	Y	L	J	B	R	E	C	N
E	P	S	T	K	U	E	T	W	I	C	K	E	H	N
M	U	Y	K	L	B	U	E	R	E	W	N	L	I	A
I	O	L	B	Y	R	S	D	H	A	S	Z	G	C	W
G	S	E	E	E	E	Y	T	H	E	Y	R	A	K	S
H	H	X	S	S	A	T	Y	L	T	K	F	E	E	K
T	H	E	W	I	L	D	G	E	E	S	E	N	N	C
Y	B	A	T	M	A	N	O	D	E	K	R	O	M	A
B	T	X	P	L	A	D	R	A	W	O	H	R	G	L
X	O	B	D	R	I	B	C	X	S	V	C	I	R	B
T	H	E	E	S	E	T	L	A	M	E	H	T	A	G

- ◊ ANGRY BIRDS
- ◊ BATMAN AND ROBIN
- ◊ BIRD BOX
- ◊ BIRDY
- ◊ BLACK SWAN
- ◊ BYE BYE BIRDIE
- ◊ CHICKEN LITTLE
- ◊ DUCK SOUP
- ◊ FATHER GOOSE
- ◊ GAME FOR VULTURES
- ◊ HOWARD THE DUCK
- ◊ IRON EAGLE
- ◊ LADYHAWKE
- ◊ LITTLE BIRDS
- ◊ PRETTY BIRD
- ◊ SPARROWS CAN'T SING
- ◊ STORKS
- ◊ SWEET BIRD OF YOUTH
- ◊ THE BLUE BIRD
- ◊ THE CROW
- ◊ THE MALTESE FALCON
- ◊ THE MIGHTY DUCKS
- ◊ THE WILD GEESE
- ◊ WHERE EAGLES DARE

94 Alone in a Genus – Part One

T	H	K	M	D	R	I	B	R	E	V	L	I	S	A
T	O	L	E	S	S	I	C	K	C	I	D	Y	N	I
I	G	S	F	O	R	E	B	A	I	A	U	G	O	N
T	N	B	I	R	U	D	C	S	L	E	R	I	Y	A
B	I	N	E	Z	U	C	I	L	E	J	I	N	N	R
U	R	T	A	Z	J	I	I	M	H	Y	B	G	A	I
R	O	M	N	M	I	B	T	L	A	U	A	U	C	B
C	N	P	R	E	E	H	C	H	T	G	J	Z	A	W
S	S	F	A	O	R	L	R	Z	U	U	A	A	R	G
R	F	S	H	L	F	W	F	P	I	N	Y	O	N	L
W	N	S	Y	K	M	I	J	I	W	I	T	A	J	I
Q	T	E	W	A	W	C	N	W	R	D	X	E	Q	T
Y	R	R	I	E	R	H	H	U	S	R	F	Q	R	T
A	T	A	P	A	Z	G	I	A	X	E	T	P	L	L
D	E	P	I	R	T	S	Z	O	T	V	D	X	K	E

◊ AGAMI HERON
◊ CANYON WREN
◊ CHEER PHEASANT
◊ DICKCISSEL
◊ FRUITHUNTER
◊ GRAY'S LARK
◊ GUAIABERO
◊ INGUZA
◊ IRANIA
◊ JABIRU
◊ LITTLE AUK
◊ PALMCHAT
◊ PINYON JAY
◊ RIFLEMAN
◊ SCRUBTIT
◊ SHOEBILL
◊ SILVERBIRD
◊ SNORING RAIL
◊ STRIPED CRAKE
◊ UNIFORM CRAKE
◊ VERDIN
◊ WHIO
◊ WRENTIT
◊ ZAPATA RAIL

95 Coots, Rails, and Crakes

B	M	E	L	B	I	S	I	V	N	I	X	B	Q	M
A	T	S	I	N	K	U	L	E	N	G	U	P	O	A
U	F	A	W	L	S	C	W	X	G	I	K	C	E	K
S	W	S	L	A	T	Y	L	E	G	G	E	D	K	I
T	N	O	R	A	M	Q	K	J	K	L	Z	J	A	R
R	N	O	O	N	U	P	L	S	L	A	S	A	R	A
A	S	A	R	D	D	D	H	A	P	U	W	S	C	N
L	W	D	M	I	H	B	T	E	N	A	A	A	E	O
R	I	O	I	A	N	E	B	C	N	E	L	K	L	I
T	N	T	S	E	D	G	N	I	F	A	L	A	T	N
Q	H	B	N	C	F	N	K	Q	Y	A	Z	L	T	U
L	O	J	I	C	M	O	A	A	Y	X	A	A	I	E
A	E	J	W	L	Z	Y	N	S	Z	U	Z	V	L	R
Y	S	C	E	N	E	R	A	C	S	A	M	A	T	W
A	G	A	L	L	I	N	U	L	E	C	E	T	Z	A

- ◊ ANDAMAN
- ◊ AUSTRAL
- ◊ AZTEC
- ◊ CALAYAN
- ◊ GALLINULE
- ◊ INVISIBLE
- ◊ LAYSAN
- ◊ LEWIN'S
- ◊ LITTLE CRAKE
- ◊ MAKIRA
- ◊ MASCARENE
- ◊ NKULENGU
- ◊ OCELLATED
- ◊ OKINAWA
- ◊ REUNION
- ◊ SAKALAVA
- ◊ SLATY-LEGGED
- ◊ SNORING
- ◊ SORA
- ◊ SWAMPHEN
- ◊ SWINHOE'S
- ◊ TALAUD
- ◊ WEKA
- ◊ WOODHEN

Birds in Songs

W	E	A	S	M	E	W	A	E	L	T	T	I	L	S
E	O	B	G	N	E	R	R	L	P	T	H	R	E	E
S	F	R	L	F	O	B	I	B	O	P	W	R	P	Z
S	T	R	R	A	M	W	U	M	N	U	U	Z	D	C
S	K	R	E	A	C	Z	B	P	L	T	E	R	M	Z
E	Y	Y	A	E	P	K	W	I	L	I	I	T	F	Y
S	K	L	L	N	B	S	B	U	R	B	K	W	T	E
S	F	I	L	A	G	I	V	I	E	D	O	E	M	E
O	L	B	L	A	R	E	R	U	R	L	C	Q	A	T
R	A	N	O	Y	S	K	L	D	L	D	S	L	J	C
T	M	I	S	S	L	B	M	A	C	U	I	A	A	X
A	I	F	D	S	Y	F	W	P	J	J	D	G	G	V
B	N	R	E	U	N	S	W	I	N	T	E	R	D	T
L	G	U	E	T	H	E	B	I	R	D	I	E	G	M
A	O	S	F	N	I	B	O	R	N	I	K	C	O	R

- ◊ ALBATROSS
- ◊ ALOUETTE
- ◊ BLACKBIRD
- ◊ BLUEBIRD
- ◊ CAGED BIRD
- ◊ DISCO DUCK
- ◊ FEED THE BIRDS
- ◊ FLAMINGO
- ◊ FLY LIKE AN EAGLE
- ◊ FREE BIRD
- ◊ I'M LIKE A BIRD
- ◊ LITTLE BIRD
- ◊ ROCKIN' ROBIN
- ◊ SALLY'S PIGEONS
- ◊ SKYLARK
- ◊ SNOWBIRD
- ◊ SPARROW
- ◊ STRANGE BIRDS
- ◊ SURFIN' BIRD
- ◊ SWALLOW SONG OF RHODES
- ◊ THE BIRDIE SONG
- ◊ THREE LITTLE BIRDS
- ◊ VULTURES
- ◊ WINTER BIRD

97 African at the Beginning

E	O	O	K	C	U	C	A	R	A	S	U	L	Z	P
R	K	F	A	R	A	L	A	M	S	D	F	L	R	F
T	O	A	F	Y	H	N	L	T	C	Y	M	I	D	R
I	Y	I	R	O	A	C	O	Y	T	A	Q	B	R	N
T	W	X	B	C	I	N	Q	F	R	I	A	R	I	O
E	C	B	A	T	E	T	I	S	G	D	P	E	B	E
U	Y	J	R	C	R	R	H	O	A	I	N	V	R	G
L	N	I	H	S	E	H	S	R	C	T	L	L	O	I
B	L	A	N	F	A	H	T	U	U	W	S	I	L	P
Q	T	I	I	R	A	E	L	T	O	S	H	S	I	E
W	P	N	R	W	R	E	V	D	I	H	H	T	A	V
E	C	I	K	H	T	A	O	L	H	P	A	Q	T	I
H	E	E	O	P	O	O	H	L	V	Z	I	Z	R	L
R	N	E	R	S	W	I	F	T	A	X	S	P	H	O
O	P	E	N	B	I	L	L	B	C	A	E	K	O	O

◊ BAZA

◊ BLUE TIT

◊ CITRIL

◊ CRAKE

◊ CUCKOO

◊ DARTER

◊ FIREFINCH

◊ GOSHAWK

◊ HOBBY

◊ HOOPOE

◊ JACANA

◊ MARSH-HARRIER

◊ OLIVE-PIGEON

◊ OPENBILL

◊ PICULET

◊ PIPIT

◊ PITTA

◊ SILVERBILL

◊ SNIPE

◊ STONECHAT

◊ SWIFT

◊ TAILORBIRD

◊ THRUSH

◊ WOOD-OWL

98 Scientific Names

X	S	T	E	R	C	O	R	A	R	I	U	S	Y	D
P	A	E	A	A	T	E	S	P	O	H	C	N	Y	R
E	M	O	D	L	S	U	N	G	Y	C	K	E	T	D
L	F	C	I	L	N	T	H	I	E	X	A	R	O	C
E	Q	L	R	I	N	E	A	D	I	D	R	U	T	A
C	A	A	A	D	M	J	M	Z	I	E	U	H	N	A
A	G	F	P	A	H	I	X	C	A	F	C	S	C	D
N	A	M	W	E	L	U	S	D	S	O	E	I	L	L
U	P	F	I	V	N	I	I	O	R	R	P	U	A	P
S	O	M	U	M	N	D	E	V	I	A	S	I	R	I
O	R	S	O	E	U	T	U	N	C	E	H	K	I	C
A	N	E	H	A	U	S	I	I	V	S	J	R	D	I
B	I	P	L	B	K	L	P	A	U	C	J	Q	A	D
E	S	A	S	C	U	C	U	L	I	D	A	E	E	A
E	A	D	I	T	Y	R	A	N	N	I	D	A	E	E

◊ AGAPORNIS
◊ ALAUDIDAE
◊ ANSERINI
◊ AVES
◊ BUTEOS
◊ CORAX
◊ CORVUS
◊ CUCULIDAE
◊ CYGNUS
◊ FALCO
◊ LARIDAE
◊ MILVUS
◊ MIMUS
◊ PARIDAE
◊ PELECANUS
◊ PICA PICA
◊ PICIDAE
◊ RALLIDAE
◊ RYNCHOPS
◊ SPHENI-SCIDAE
◊ STERCORA-RIUS
◊ SULA
◊ TURDIDAE
◊ TYRANNIDAE

Birds of South America

W	A	C	A	M	E	H	A	R	A	C	A	R	A	C
A	C	F	T	J	L	U	E	R	H	E	A	F	I	X
N	F	V	E	O	P	O	O	R	W	I	L	L	N	X
T	K	R	Y	Q	R	R	B	D	O	Y	L	N	O	J
S	L	I	V	D	F	O	O	H	C	N	E	I	H	R
H	B	M	S	P	E	R	P	A	T	T	R	K	P	E
R	T	E	E	K	A	P	T	E	L	E	T	S	U	T
I	A	W	C	D	A	C	A	I	N	K	E	I	E	A
K	E	S	I	A	H	D	A	U	E	D	P	S	I	E
E	J	T	V	E	R	T	E	B	R	Y	O	N	R	D
P	O	A	R	R	E	D	X	E	E	A	E	L	Q	E
I	W	O	B	N	O	C	L	A	F	A	Q	E	A	E
P	K	G	I	I	P	I	C	U	L	E	T	U	R	S
I	M	P	W	D	R	P	U	E	P	R	A	Z	E	C
T	S	O	X	T	I	U	Q	A	N	A	N	A	B	R

- ◊ ANDEAN SISKIN
- ◊ APLOMADO FALCON
- ◊ ATLANTIC PETREL
- ◊ BAMBOO ANTSHRIKE
- ◊ BANANAQUIT
- ◊ BLACK CARACARA
- ◊ COCOI HERON
- ◊ CRESTED DORADITO
- ◊ FOREST ELAENIA
- ◊ GREATER KISKADEE
- ◊ HELLMAYR'S PIPIT
- ◊ HYACINTH MACAW
- ◊ ITATIAIA SPINETAIL
- ◊ JABIRU
- ◊ LESSER RHEA
- ◊ OLIVE OROPENDOLA
- ◊ ORINOCO PICULET
- ◊ PAURAQUE
- ◊ PIRATIC FLYCATCHER
- ◊ PLUMBEOUS SEEDEATER
- ◊ POORWILL
- ◊ SLATY BECARD
- ◊ TRINIDAD EUPHONIA
- ◊ TROPICAL PEWEE

100 Different Ducks

G	A	N	S	W	O	F	T	E	U	L	H	L	R	K
S	D	O	O	W	I	C	G	P	S	C	O	T	E	R
N	R	M	M	T	J	G	O	N	U	S	M	E	D	L
I	A	Q	G	H	T	E	E	N	O	A	M	W	I	C
D	X	S	K	O	D	O	I	O	I	Y	C	E	E	A
H	F	K	Y	T	L	R	C	Z	N	R	M	S	W	N
A	L	U	M	A	N	D	A	R	I	N	O	O	D	V
R	I	V	L	E	L	B	E	H	T	A	F	O	R	A
T	G	X	S	V	R	E	A	N	C	R	A	G	A	S
L	H	A	E	K	O	G	G	I	E	O	E	Y	L	B
A	T	U	D	E	S	U	A	E	K	Y	P	M	L	A
U	L	F	Q	W	I	L	S	N	U	A	E	G	A	C
B	E	S	T	E	A	M	E	R	S	A	L	Y	M	K
S	S	O	T	A	A	L	E	W	K	E	D	P	L	P
J	S	K	T	R	C	H	L	A	E	T	R	X	Y	Q

◊ BAIKAL
◊ BLUE
◊ CANVASBACK
◊ COTTON
◊ EIDER
◊ FLIGHTLESS
◊ FULVOUS
◊ GADWALL
◊ GOLDENEYE
◊ HARTLAUB'S
◊ LAYSAN
◊ MALLARD
◊ MANDARIN
◊ MERGANSER
◊ ORINOCO
◊ POCHARD
◊ PYGMY-GOOSE
◊ SCAUP
◊ SCOTER
◊ SMEW
◊ STEAMER
◊ TEAL
◊ WIGEON
◊ WOOD

101 Great at the Beginning

E	V	O	D	O	O	K	C	U	C	A	T	N	K	Z
Y	V	U	N	N	O	X	U	Y	O	N	M	W	I	L
W	E	U	V	E	E	T	J	K	A	P	A	G	S	I
L	O	A	K	N	L	A	O	R	S	H	R	V	K	Z
T	E	O	O	N	C	A	O	P	K	E	V	P	A	A
H	E	P	D	A	O	M	E	C	E	B	Q	A	D	R
I	S	R	M	S	R	T	A	N	A	Q	T	M	E	D
C	D	A	S	O	W	L	M	R	I	T	H	P	E	C
K	R	U	C	E	B	A	B	R	I	A	S	A	I	U
K	A	S	F	V	C	E	L	P	K	N	E	F	Q	C
N	T	W	K	A	T	L	T	L	I	R	G	I	L	K
E	S	S	W	U	I	N	Z	P	O	C	R	N	P	O
E	U	X	E	K	A	O	E	H	L	W	E	C	B	O
J	B	L	U	E	T	U	R	A	C	O	T	H	D	I
L	L	I	B	N	R	O	H	A	G	R	E	B	E	J

◊ ANTPITTA
◊ BARBET
◊ BLACK-HAWK
◊ BLUE TURACO
◊ BUSTARD
◊ CORMORANT
◊ CUCKOO-DOVE
◊ EGRET
◊ ELAENIA
◊ GREBE
◊ GREEN MACAW
◊ HORNBILL
◊ IORA
◊ JACAMAR
◊ KISKADEE
◊ KNOT
◊ LIZARD-CUCKOO
◊ PAMPA-FINCH
◊ POTOO
◊ SKUA
◊ SNIPE
◊ THICK-KNEE
◊ WOOD-SWALLOW
◊ XENOPS

102 Bird Tales and Nursery Rhymes

H	R	T	S	A	E	R	B	D	E	R	T	I	E	B
A	E	D	R	I	B	E	U	L	B	H	N	T	L	H
P	D	Z	O	I	S	T	Z	A	R	N	H	A	T	G
P	N	E	R	E	A	H	C	E	B	E	B	L	T	N
I	A	T	N	A	G	E	E	Q	B	C	S	W	I	O
N	G	T	P	H	M	L	W	A	Z	B	K	O	L	S
E	Q	E	T	M	I	I	T	O	R	U	I	D	O	A
S	U	U	V	T	Z	T	M	K	R	O	B	L	W	G
S	R	O	T	O	L	T	W	E	O	R	F	O	T	N
T	E	L	Y	E	M	L	N	D	J	G	A	E	E	I
L	E	A	R	A	V	E	N	S	M	N	E	P	N	S
S	F	I	T	C	H	E	R	S	V	I	T	H	S	O
L	O	N	R	S	I	C	D	U	C	K	L	I	N	G
W	R	O	L	U	F	R	E	D	N	O	W	E	H	T
O	W	Z	L	C	E	L	T	T	I	L	E	V	I	F

- ◊ ALOUETTE
- ◊ A WISE OLD OWL
- ◊ FITCHER'S BIRD
- ◊ FIVE LITTLE DUCKS
- ◊ GOOSEY, GOOSEY, GANDER
- ◊ JEMIMA PUDDLE-DUCK
- ◊ KING OF THE BIRDS
- ◊ MOTHER GOOSE
- ◊ ONE FOR SORROW
- ◊ OWLS AND MARMOTS
- ◊ ROBIN REDBREAST
- ◊ SING A SONG OF SIXPENCE
- ◊ THE BATTLE OF THE BIRDS
- ◊ THE BIRD OF HAPPINESS
- ◊ THE BIRD OF TRUTH
- ◊ THE BLUE BIRD
- ◊ THE CROW
- ◊ THE DOG AND THE SPARROW
- ◊ THE LITTLE BIRD
- ◊ THE SEVEN RAVENS
- ◊ THE UGLY DUCKLING
- ◊ THE WONDERFUL BIRD
- ◊ THREE LITTLE BIRDS
- ◊ TWO LITTLE DICKIE BIRDS

103 Bird(s) in Many Languages

R	I	B	M	I	H	S	E	W	A	L	R	Y	Q	U
L	L	E	O	M	I	S	E	O	I	S	E	A	U	C
I	N	Y	O	N	I	D	U	N	B	E	P	G	V	N
J	B	C	O	R	V	F	L	Q	L	G	U	R	O	F
O	W	F	X	I	Q	E	V	X	U	E	T	A	P	V
F	L	B	O	C	E	L	L	X	O	D	N	D	P	M
L	I	L	D	L	A	H	B	X	Z	N	S	A	E	A
M	I	V	E	D	M	B	A	L	A	M	E	V	N	C
A	Y	N	E	C	T	O	M	T	W	T	A	O	P	I
G	Y	R	T	P	C	H	S	I	Z	M	O	J	Y	T
G	Y	G	N	U	R	U	B	B	I	G	Q	S	C	P
N	K	J	U	O	N	H	U	H	P	A	X	A	R	O
A	K	U	U	T	B	K	C	N	A	U	U	P	M	R
L	O	H	S	F	Y	I	Y	Y	A	Q	Z	K	R	G
I	X	U	Q	T	A	F	K	R	I	M	Y	R	E	U

◊ ADAR
◊ ADERYN
◊ AVEM
◊ BURUNG
◊ CHIM
◊ IBON
◊ INYONI
◊ LANGGAM
◊ LINTU
◊ MANU
◊ MBALAME
◊ NDEGE
◊ NOOG
◊ OCELL
◊ OISEAU
◊ PAXARO
◊ PTICA
◊ PUTNS
◊ QUSH
◊ SHIMBIR
◊ TSUNTSU
◊ UCCELLO
◊ VOGEL
◊ ZWAZO

Pigeons and Doves

O	N	O	M	E	L	E	L	T	R	U	T	P	G	D
S	O	M	A	L	I	U	I	G	S	P	F	K	R	I
B	W	A	Z	U	E	R	O	N	W	O	N	G	A	L
H	X	K	H	P	L	M	H	Z	C	G	L	G	E	L
X	N	G	N	I	N	R	U	O	M	A	T	S	M	A
Z	E	B	R	A	M	I	N	D	O	R	O	I	O	P
S	T	R	A	E	H	G	N	I	D	E	E	L	B	M
P	A	D	I	A	N	E	Z	L	U	L	M	V	P	S
I	I	Q	N	Y	U	A	Y	A	S	J	X	E	L	L
N	D	Z	M	O	A	O	D	X	K	G	J	R	Y	Z
I	A	N	D	A	M	A	N	A	Y	U	H	Y	K	V
F	K	C	O	R	H	A	N	I	L	G	I	R	I	S
E	B	S	R	I	H	H	I	B	A	N	T	F	N	N
X	U	J	L	O	Q	L	Z	D	Z	A	C	O	R	T
H	W	L	U	Y	K	U	Y	R	C	O	W	T	N	I

◊ ANDAMAN
◊ AZUERO
◊ BLEEDING-HEART
◊ DIAMOND
◊ DUSKY
◊ GRENADA
◊ HILL
◊ INCA

◊ LEMON
◊ MINDORO
◊ MOURNING
◊ NILGIRI
◊ PALLID
◊ ROCK
◊ RYUKYU
◊ SILVERY

◊ SNOW
◊ SOMALI
◊ SPINIFEX
◊ TROCAZ
◊ TURTLE
◊ WONGA
◊ ZEBRA
◊ ZENAIDA

105 Popular Pet Bird Names

B	R	E	V	A	P	Y	I	N	B	V	X	B	T	A
O	Y	D	U	L	K	L	H	A	R	L	E	Y	B	M
T	M	O	D	C	F	E	T	S	E	L	E	C	U	B
Q	M	X	O	S	Q	I	H	W	L	A	S	U	D	E
O	A	R	L	U	C	K	Y	A	R	U	N	E	D	R
L	S	A	P	P	H	I	R	E	N	C	J	G	Y	F
I	U	A	O	C	F	H	X	S	E	H	C	A	E	P
V	E	S	D	S	T	J	H	K	T	U	F	J	W	L
E	S	O	Y	W	F	I	T	U	A	E	Y	Y	P	M
R	R	K	E	E	N	E	N	S	Z	I	M	W	L	I
B	W	E	I	E	M	A	N	G	O	L	C	O	C	O
X	T	A	P	T	E	K	Q	C	R	R	L	F	J	I
Y	C	P	M	P	T	D	I	B	H	A	J	S	K	L
L	T	E	C	E	E	L	W	W	F	H	A	I	Z	L
Z	O	S	C	A	R	P	E	D	I	C	T	B	J	C

◊ AMBER
◊ ANGEL
◊ BELLA
◊ BUDDY
◊ CELESTE
◊ CHARLIE
◊ COCO
◊ HARLEY
◊ KIWI
◊ LUCKY
◊ MANGO
◊ OLIVER
◊ OSCAR
◊ PEACHES
◊ PEANUT
◊ PEPPER
◊ ROCKY
◊ SAMMY
◊ SAPPHIRE
◊ SKITTLE
◊ SUNSHINE
◊ SWEETPEA
◊ TIKI
◊ TWEETY

106 Mythical Birds

L	D	R	I	B	N	O	M	A	N	N	I	C	E	A
A	U	L	D	R	I	B	R	E	D	N	U	H	T	D
G	P	R	U	V	W	L	P	H	O	E	N	I	X	N
M	J	I	U	L	U	T	S	O	N	O	K	L	A	U
K	E	S	A	T	S	C	L	M	H	H	O	C	H	Y
X	I	R	T	S	G	O	U	T	O	T	J	E	N	A
I	T	S	U	M	A	D	E	B	N	O	F	T	L	M
H	S	U	I	R	D	A	L	A	C	E	Y	A	N	A
S	H	T	O	H	T	A	C	E	N	A	U	N	I	G
L	I	B	A	B	A	I	D	G	M	N	Q	S	F	E
Y	I	E	F	S	L	D	H	A	N	O	N	U	F	V
B	W	N	Q	A	J	U	C	O	R	P	A	R	I	A
I	M	N	Q	V	A	U	I	H	U	N	S	O	R	X
R	A	U	F	N	U	F	D	V	O	J	A	H	G	E
D	E	P	G	U	A	L	U	I	O	L	B	I	R	D

◊ ABABIL
◊ ADARNA
◊ AETHON
◊ ALICANTO
◊ ALKONOST
◊ BASAN
◊ BENNU
◊ CALADRIUS
◊ CETAN
◊ CHOL
◊ CINNAMON BIRD
◊ FENGHUANG
◊ FIONNUALA
◊ GAMAYUN
◊ GRIFFIN
◊ HORUS
◊ ITSUMADE
◊ PHOENIX
◊ PIASA
◊ STRIX
◊ THOTH
◊ THUNDER-BIRD
◊ TURUL
◊ VUCUB CAQUIX

107 Green at the Beginning

S	W	O	R	O	P	E	N	D	O	L	A	B	Q	W
T	U	B	J	T	V	I	T	A	V	A	D	A	V	A
T	F	E	U	N	H	A	R	D	L	U	E	R	S	C
I	U	G	N	V	T	O	L	A	R	F	Q	B	A	G
M	H	W	G	I	B	H	R	L	C	I	F	E	N	T
R	Y	B	L	O	J	C	A	N	E	A	B	T	D	L
E	L	S	E	L	J	O	C	D	T	S	R	G	P	W
H	I	O	F	E	Y	C	Q	C	R	A	O	A	I	O
S	A	P	O	T	E	V	U	O	E	I	I	R	P	F
I	U	X	W	E	L	A	E	V	G	B	B	L	E	A
F	E	N	L	A	I	K	T	U	L	N	M	T	R	E
G	F	B	B	R	F	S	T	E	V	E	A	O	A	P
N	S	L	L	I	B	D	A	O	R	B	I	M	R	C
I	C	K	H	D	R	N	I	K	A	N	A	M	O	C
K	W	C	X	W	I	D	L	G	S	U	C	Z	Z	C

◊ ARACARI
◊ AVADAVAT
◊ BARBET
◊ BEE-EATER
◊ BROADBILL
◊ CATBIRD
◊ COCHOA
◊ CROMBEC
◊ FIGBIRD
◊ HERMIT
◊ HYLIA
◊ IORA
◊ JUNGLEFOWL
◊ KINGFISHER
◊ MANAKIN
◊ MANGO
◊ OROPENDOLA
◊ PEAFOWL
◊ RACQUET-TAIL
◊ ROSELLA
◊ SANDPIPER
◊ SUNBIRD
◊ THORNTAIL
◊ VIOLETEAR

108 Alone in a Genus – Part Two

B	I	G	F	J	H	Z	N	X	M	K	D	A	W	Y
A	I	U	X	I	A	U	S	D	C	B	A	R	E	S
N	O	R	H	P	E	N	U	A	O	O	L	E	A	H
A	E	I	A	J	O	D	J	P	T	V	G	F	A	E
N	L	T	S	W	G	H	R	W	O	T	E	L	O	C
A	A	C	C	R	A	T	O	I	N	D	J	K	G	C
Q	M	A	H	Y	L	E	A	A	B	M	A	L	I	A
U	P	E	Z	B	A	A	F	E	T	F	N	R	A	E
I	A	L	I	I	H	E	J	E	R	Z	R	D	N	A
T	R	T	Z	L	V	Z	R	U	S	G	I	U	T	L
R	D	T	W	L	A	S	R	D	K	L	H	N	S	A
K	U	A	W	A	I	B	S	C	Y	O	I	N	H	R
T	S	C	P	N	U	M	A	L	M	H	I	S	Y	K
C	C	G	A	R	V	P	O	V	E	N	B	I	R	D
D	O	A	B	S	E	V	O	I	Q	M	U	A	W	U

◊ BALI MYNAH
◊ BANANAQUIT
◊ BRUBRU
◊ CAPE PETREL
◊ CATTLE TYRANT
◊ COLETO
◊ DOVEKIE
◊ DUNN'S LARK
◊ GALAH
◊ GIANT SUNBIRD
◊ GREAT XENOPS
◊ HIHI
◊ HOATZIN
◊ JACK SNIPE
◊ LARK SPARROW
◊ MALEO
◊ MALIA
◊ OVENBIRD
◊ PARDUSCO
◊ SNOWCAP
◊ SURFBIRD
◊ TERSINA
◊ WRYBILL
◊ ZAPATA WREN

109 Birds in French

E	U	R	G	M	M	A	I	S	G	S	G	G	H	L
L	P	T	M	I	E	O	O	E	K	G	R	T	W	Z
U	C	K	E	A	F	R	I	F	E	I	U	N	E	O
T	Y	A	A	R	T	A	L	N	V	N	B	A	G	O
A	G	G	M	A	E	M	U	E	E	V	U	M	R	A
P	N	Y	B	A	T	N	L	C	N	A	R	A	O	I
S	E	L	R	J	Z	I	N	H	O	O	U	L	G	G
A	A	L	F	E	T	O	E	O	B	N	I	F	E	L
V	A	U	T	O	U	R	N	U	D	U	E	R	G	E
S	I	L	R	U	O	C	Y	E	A	R	S	G	U	N
U	T	N	B	Z	Y	K	U	T	G	E	A	A	O	M
R	E	S	T	E	R	N	E	T	V	C	B	H	R	L
M	P	E	R	R	O	Q	U	E	T	G	J	R	C	D
E	S	S	U	O	R	E	T	T	E	N	G	Q	O	L
P	L	U	V	I	E	R	D	R	A	N	A	C	I	C

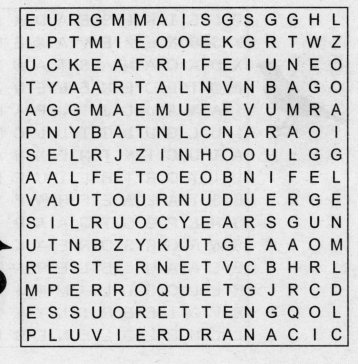

◊ AIGLE
◊ ALBATROS
◊ AMAZONE
◊ BUSARD
◊ CANARD
◊ CHARDON-NERET
◊ CHOUETTE
◊ CORBEAU
◊ COURLIS
◊ CYGNE
◊ FAUCON
◊ FLAMANT
◊ GRIVE LITORNE
◊ GRUE
◊ MERLE NOIR
◊ MOINEAU
◊ NETTE ROUSSE
◊ PERROQUET
◊ PLUVIER
◊ ROUGE-GORGE
◊ SPATULE
◊ STERNE
◊ URUBU
◊ VAUTOUR

110 Birds Beginning with “L”

T	L	E	T	K	L	S	E	A	D	A	L	N	E	I
Y	S	B	K	E	Z	E	V	A	X	E	N	X	L	A
X	D	A	Q	A	N	A	S	T	A	W	N	U	T	E
E	O	T	E	O	L	N	E	E	E	N	Z	I	R	L
I	A	N	A	L	L	J	I	L	P	A	H	E	L	E
L	U	L	G	U	L	G	T	L	L	C	N	E	V	Q
A	T	U	C	I	K	T	N	E	N	N	A	O	U	L
L	I	Y	D	R	I	R	L	I	U	F	L	L	R	O
E	S	T	A	L	A	E	F	R	W	F	Y	N	O	V
S	H	L	P	G	G	T	G	A	A	P	I	E	D	E
S	W	R	G	R	S	O	R	E	A	K	A	I	A	B
E	L	A	A	U	L	B	L	E	P	A	Z	L	R	I
R	L	L	C	G	L	L	V	M	P	J	A	W	B	R
E	F	O	I	E	E	R	I	L	Y	E	R	L	A	D
L	L	H	R	L	O	L	E	N	E	D	L	D	L	A

◊ LABRADOR DUCK
◊ LAGGAR FALCON
◊ LAKE DUCK
◊ LANAI HOOKBILL
◊ LAPWING
◊ LARGE NILTAVA
◊ LARK
◊ LAVA GULL
◊ LAZULI BUNTING
◊ LEAF-LOVE
◊ LEAF-WARBLER
◊ LEAST TERN
◊ LEPE CISTICOLA
◊ LESSER RHEA
◊ LIDTH’S JAY
◊ LIMPKIN
◊ LINED SEEDEATER
◊ LINNET
◊ LITTLE STINT
◊ LOCUSTFINCH
◊ LOETOE MONARCH
◊ LOGRUNNER
◊ LOVEBIRD
◊ LUCY’S WARBLER

111 Tropical and Rainforest Birds

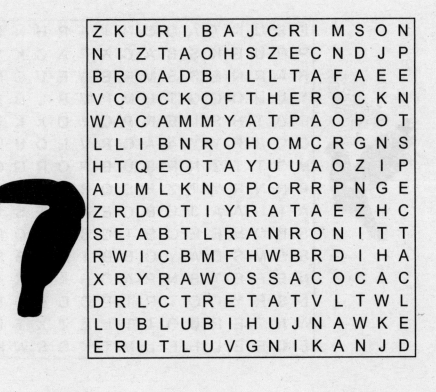

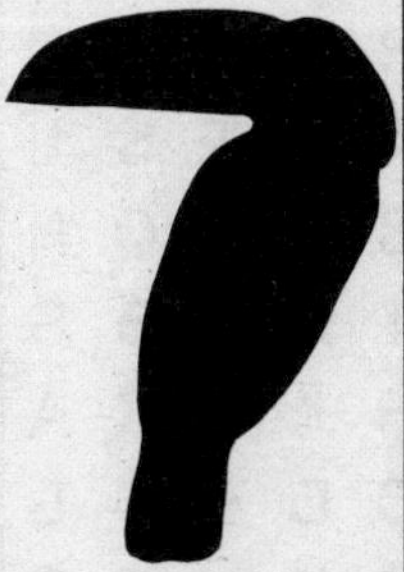

Z	K	U	R	I	B	A	J	C	R	I	M	S	O	N
N	I	Z	T	A	O	H	S	Z	E	C	N	D	J	P
B	R	O	A	D	B	I	L	L	T	A	F	A	E	E
V	C	O	C	K	O	F	T	H	E	R	O	C	K	N
W	A	C	A	M	M	Y	A	T	P	A	O	P	O	T
L	L	I	B	N	R	O	H	O	M	C	R	G	N	S
H	T	Q	E	O	T	A	Y	U	U	A	O	Z	I	P
A	U	M	L	K	N	O	P	C	R	R	P	N	G	E
Z	R	D	O	T	I	Y	R	A	T	A	E	Z	H	C
S	E	A	B	T	L	R	A	N	R	O	N	I	T	T
R	W	I	C	B	M	F	H	W	B	R	D	I	H	A
X	R	Y	R	A	W	O	S	S	A	C	O	C	A	C
D	R	L	C	T	R	E	T	A	T	V	L	T	W	L
L	U	B	L	U	B	I	H	U	J	N	A	W	K	E
E	R	U	T	L	U	V	G	N	I	K	A	N	J	D

- ◊ ANTBIRD
- ◊ ANTSHRIKE
- ◊ ARACARI
- ◊ BROADBILL
- ◊ BULBUL
- ◊ CARACARA
- ◊ CASSOWARY
- ◊ COCK-OF-THE-ROCK
- ◊ CRIMSON TOPAZ
- ◊ HARPY EAGLE
- ◊ HOATZIN
- ◊ HORNBILL
- ◊ JABIRU STORK
- ◊ KING VULTURE
- ◊ MACAW
- ◊ MOTMOT
- ◊ NIGHTHAWK
- ◊ OROPENDOLA
- ◊ PARROT
- ◊ RED LORY
- ◊ SPECTACLED OWL
- ◊ TOUCAN
- ◊ TROGON
- ◊ TRUMPETER

112 Equipment to Take Birdwatching

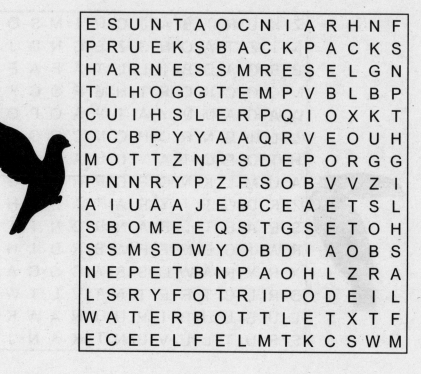

E	S	U	N	T	A	O	C	N	I	A	R	H	N	F
P	R	U	E	K	S	B	A	C	K	P	A	C	K	S
H	A	R	N	E	S	S	M	R	E	S	E	L	G	N
T	L	H	O	G	G	T	E	M	P	V	B	L	B	P
C	U	I	H	S	L	E	R	P	Q	I	O	X	K	T
O	C	B	P	Y	Y	A	A	Q	R	V	E	O	U	H
M	O	T	T	Z	N	P	S	D	E	P	O	R	G	G
P	N	N	R	Y	P	Z	F	S	O	B	V	V	Z	I
A	I	U	A	A	J	E	B	C	E	A	E	T	S	L
S	B	O	M	E	E	Q	S	T	G	S	E	T	O	H
S	S	M	S	D	W	Y	O	B	D	I	A	O	B	S
N	E	P	E	T	B	N	P	A	O	H	L	Z	R	A
L	S	R	Y	F	O	T	R	I	P	O	D	E	I	L
W	A	T	E	R	B	O	T	T	L	E	T	X	T	F
E	C	E	E	L	F	E	L	M	T	K	C	S	W	M

◊ APPS
◊ BACKPACK
◊ BINOCULARS
◊ BIRD FEEDER
◊ BOOTS
◊ CAMERA
◊ COMPASS
◊ FLASHLIGHT
◊ FLEECE
◊ GILET
◊ GLOVES
◊ HARNESS
◊ HATS
◊ MAP
◊ MOUNT
◊ NOTEBOOK
◊ PEN
◊ RAINCOAT
◊ SCOPE
◊ SMART PHONE
◊ STOOL
◊ SUNGLASSES
◊ TRIPOD
◊ WATER BOTTLE

113

Excerpt from *Ode to a Nightingale* by John Keats

D	E	T	A	O	R	H	T	L	L	U	F	O	R	D
D	T	S	D	S	S	E	L	R	E	B	M	U	N	E
U	R	U	R	E	N	I	H	T	A	S	E	L	S	I
L	A	M	O	S	S	E	N	B	M	U	N	E	U	T
L	E	M	W	D	O	L	E	S	N	S	V	T	O	P
O	H	E	S	R	L	M	U	E	N	D	Y	H	I	M
T	P	R	Y	U	P	N	E	I	S	N	A	E	D	E
H	A	I	P	N	K	R	A	I	E	P	E	W	O	E
R	K	O	A	K	G	R	N	H	P	T	S	A	L	G
O	C	C	S	T	D	G	C	I	D	O	N	R	E	M
U	O	H	T	A	E	E	N	O	R	L	E	D	M	I
G	L	H	C	S	E	E	R	T	Y	P	S	S	M	N
H	M	H	T	B	S	S	N	I	A	P	S	O	X	U
Q	E	E	A	S	E	S	H	A	D	O	W	S	K	T
S	H	K	D	E	G	N	I	W	T	H	G	I	L	E

MY HEART ACHES, AND A DROWSY NUMBNESS PAINS
MY SENSE, AS THOUGH OF HEMLOCK I HAD DRUNK,
OR EMPTIED SOME DULL OPIATE TO THE DRAINS
ONE MINUTE PAST, AND LETHE-WARDS HAD SUNK:
'TIS NOT THROUGH ENVY OF THY HAPPY LOT,
BUT BEING TOO HAPPY IN THINE HAPPINESS,—
THAT THOU, LIGHT-WINGED DRYAD OF THE TREES
IN SOME MELODIOUS PLOT
OF BEECHEN GREEN, AND SHADOWS NUMBERLESS,
SINGEST OF SUMMER IN FULL-THROATED EASE.

Nesting Up High

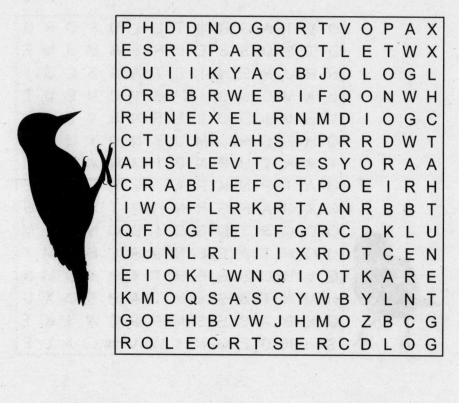

P	H	D	D	N	O	G	O	R	T	V	O	P	A	X
E	S	R	R	P	A	R	R	O	T	L	E	T	W	X
O	U	I	I	K	Y	A	C	B	J	O	L	O	G	L
O	R	B	B	R	W	E	B	I	F	Q	O	N	W	H
R	H	N	E	X	E	L	R	N	M	D	I	O	G	C
C	T	U	U	R	A	H	S	P	P	R	R	D	W	T
A	H	S	L	E	V	T	C	E	S	Y	O	R	A	A
C	R	A	B	I	E	F	C	T	P	O	E	I	R	H
I	W	O	F	L	R	K	R	T	A	N	R	B	B	T
Q	F	O	G	F	E	I	F	G	R	C	D	K	L	U
U	U	N	L	R	I	I	I	X	R	D	T	C	E	N
E	I	O	K	L	W	N	Q	I	O	T	K	A	R	E
K	M	O	Q	S	A	S	C	Y	W	B	Y	L	N	T
G	O	E	H	B	V	W	J	H	M	O	Z	B	C	G
R	O	L	E	C	R	T	S	E	R	C	D	L	O	G

◊ BLACKBIRD
◊ BLUEBIRD
◊ CACIQUE
◊ CHAFFINCH
◊ GNAT-CATCHER
◊ GOLDCREST
◊ KINGLET
◊ NUTHATCH
◊ ORIOLE
◊ OSPREY
◊ OWL
◊ PARROTLET
◊ ROBIN
◊ ROOK
◊ SPARROW
◊ SUNBIRD
◊ SWALLOW
◊ SWIFT
◊ THRUSH
◊ TROGON
◊ WARBLER
◊ WEAVER
◊ WOOD-PECKER
◊ WREN

115 Rhymes with "Crake"

E	K	A	N	S	G	E	I	E	E	G	B	E	K	A
E	A	E	L	K	K	N	O	H	O	K	C	A	N	A
K	K	A	V	A	T	B	C	C	V	P	A	F	K	I
A	K	E	L	A	Z	L	S	A	E	D	A	M	M	E
E	A	T	K	D	A	T	E	D	R	H	E	Q	N	N
E	A	E	O	K	A	J	K	A	T	L	K	Z	U	U
K	E	K	E	K	A	P	A	E	A	I	A	H	A	E
A	Y	A	E	K	A	H	U	H	K	E	R	E	H	D
W	E	R	E	U	S	Q	Q	S	E	A	B	P	Y	Y
A	A	D	Y	T	O	E	H	C	A	H	T	O	O	T
S	K	N	E	A	K	E	T	E	E	E	S	R	W	V
H	E	A	W	C	I	H	R	E	T	A	K	E	A	N
A	K	M	B	K	E	K	A	C	P	U	C	A	M	P
K	E	K	A	C	E	S	E	E	H	C	E	A	L	E
E	A	W	E	K	A	R	D	A	V	A	K	A	E	F

◊ AWAKE
◊ BAKE
◊ BRAKE
◊ CHEESECAKE
◊ CUPCAKE
◊ DRAKE
◊ EARTHQUAKE
◊ FLAKE
◊ HAKE
◊ HEADACHE
◊ INTAKE
◊ MANDRAKE
◊ OPAQUE
◊ OVERTAKE
◊ PARTAKE
◊ RETAKE
◊ SHAKE
◊ SHEIK
◊ SLAKE
◊ SNAKE
◊ STAKE
◊ STEAK
◊ TOOTHACHE
◊ UNMAKE

116 Equipment for Raising Chickens

G	O	Y	S	H	T	A	B	T	S	U	D	V	E	E
B	R	E	D	E	E	F	D	O	O	F	S	F	U	R
E	E	H	E	T	P	N	E	S	E	A	V	I	E	V
D	K	G	L	A	L	S	E	D	I	U	G	R	S	G
D	A	S	C	R	A	P	E	R	N	U	E	S	H	E
I	H	T	Q	C	H	G	U	O	R	T	E	T	E	D
N	S	E	S	L	H	A	Z	T	A	S	G	A	L	A
G	R	K	T	E	F	Z	I	W	U	L	L	I	T	H
E	E	C	O	V	B	R	H	O	O	E	C	D	E	S
S	D	U	O	A	G	R	H	V	V	B	P	K	R	N
U	W	B	B	R	D	N	E	O	V	E	C	I	Q	U
J	O	Y	R	T	E	S	H	X	R	O	S	T	I	S
E	P	F	U	H	N	S	S	C	O	O	P	Z	R	B
N	U	R	S	M	B	W	H	P	T	V	C	S	E	A
R	E	S	H	D	U	S	T	M	A	S	K	E	R	N

◊ BEDDING
◊ BOOTS
◊ BRUSH
◊ BUCKET
◊ COOP
◊ DUSTBATH
◊ DUSTMASK
◊ FIRST AID KIT
◊ FOOD FEEDER
◊ GLOVES
◊ GRIT
◊ GUIDE
◊ HENHOUSE
◊ PERCH
◊ POWDER SHAKER
◊ RUN
◊ SCOOP
◊ SCRAPER
◊ SHELTER
◊ SHOVEL
◊ SUNSHADE
◊ TRAVEL CRATE
◊ TROUGH
◊ WATERER

117 Birds Beginning with "D"

D	E	I	K	E	V	O	D	A	H	D	Y	G	E	D
E	A	D	A	O	N	O	N	A	I	R	U	A	D	D
D	I	A	M	O	N	D	D	O	V	E	D	L	L	A
Z	C	D	R	A	B	C	A	A	I	A	D	C	I	R
O	I	O	F	D	E	U	P	R	M	W	U	T	H	T
D	H	K	W	E	U	C	E	A	K	Y	N	R	M	F
O	P	A	O	G	N	O	R	D	K	E	E	E	K	O
D	R	H	S	D	O	A	E	S	K	T	Y	S	T	R
F	O	D	I	K	X	T	U	I	R	F	Z	E	Z	D
D	M	I	R	D	T	D	R	A	C	D	A	D	D	Y
A	I	P	I	O	O	E	D	N	I	L	N	U	D	Q
E	D	P	D	C	D	G	U	A	R	N	D	U	C	K
V	G	E	W	E	F	X	E	D	U	N	N	O	C	K
A	K	R	I	K	K	C	A	D	T	C	B	A	E	E
D	O	D	L	O	T	I	D	A	R	O	D	G	I	D

- ◊ DAMARA TERN
- ◊ DARK-EYED JUNCO
- ◊ DARTER
- ◊ DARTFORD WARBLER
- ◊ DAURIAN JACKDAW
- ◊ DEGODI LARK
- ◊ DESERT FINCH
- ◊ DIAMOND DOVE
- ◊ DIEDERIK CUCKOO
- ◊ DIMORPHIC FANTAIL
- ◊ DIPPER
- ◊ DODO
- ◊ DORADITO
- ◊ DOTTED TANAGER
- ◊ DOVEKIE
- ◊ DRAB SEEDEATER
- ◊ DRONGO CUCKOO
- ◊ DUCK
- ◊ DULIT FROGMOUTH
- ◊ DUNE LARK
- ◊ DUNLIN
- ◊ DUNNOCK
- ◊ DUSKY TIT
- ◊ DWARF JAY

118 Big Birds

P	A	S	S	R	Q	G	Y	O	H	N	Q	E	F	E
I	E	I	M	T	E	E	S	A	U	A	T	U	T	D
G	M	R	B	D	K	T	A	R	T	E	H	O	X	A
I	K	O	L	R	R	S	A	G	O	D	Y	H	C	S
G	E	K	U	I	T	B	B	E	E	N	R	C	I	O
A	L	T	C	S	C	B	T	N	R	A	A	R	F	R
N	E	H	T	I	L	L	W	T	R	G	W	E	G	N
T	N	F	L	N	E	P	Y	A	O	K	O	S	A	I
O	K	A	M	A	S	N	B	V	R	P	S	T	S	S
R	E	Y	C	T	A	U	K	I	R	D	S	E	T	V
N	N	I	J	I	S	J	F	S	E	T	A	D	O	K
I	E	A	D	T	L	K	R	O	T	S	C	I	R	I
S	X	N	A	L	K	E	L	X	F	E	Q	Q	N	N
A	I	R	T	O	K	L	P	W	M	I	G	H	I	G
C	D	Q	O	P	M	O	J	U	N	A	W	S	S	R

- ◊ ANDEAN CONDOR
- ◊ ARGENTAVIS
- ◊ BUSTARD
- ◊ CASSOWARY
- ◊ CRESTED IBIS
- ◊ DASORNIS
- ◊ EMU
- ◊ GASTORNIS
- ◊ GIGANTORNIS
- ◊ GREATER RHEA
- ◊ HAAST'S EAGLE
- ◊ INDIAN PEAFOWL
- ◊ KELENKEN
- ◊ KING PENGUIN
- ◊ KORI BUSTARD
- ◊ MOA
- ◊ OSTRICH
- ◊ PELICAN
- ◊ STORK
- ◊ TERROR BIRD
- ◊ TITANIS
- ◊ TOCO TOUCAN
- ◊ TRUMPETER SWAN
- ◊ TURKEY

119 Words That Come Before/After "Bird"

D	N	A	V	Y	K	A	R	A	C	V	N	S	G	S
E	H	C	A	G	E	S	K	B	B	G	F	I	E	D
E	B	R	A	I	N	E	D	Y	N	B	Z	W	A	A
F	A	B	U	O	O	Z	H	I	M	D	A	N	B	R
L	G	A	W	D	S	V	H	O	E	T	T	T	B	R
E	I	Y	F	H	A	C	C	E	T	Q	U	E	H	O
M	C	L	O	Y	T	K	S	L	O	F	S	K	E	L
E	C	R	L	A	I	R	E	D	N	U	H	T	L	I
J	E	I	W	N	X	U	E	A	O	W	A	R	F	A
F	T	H	G	P	D	E	U	H	V	D	A	E	I	T
R	Q	W	H	M	E	N	R	C	F	J	R	T	R	V
D	E	L	C	G	E	I	S	V	F	R	I	A	R	K
Y	G	E	O	S	N	A	K	E	J	A	C	W	Y	J
Y	I	O	D	M	H	L	I	G	N	I	M	M	U	H
V	E	E	O	K	T	K	C	A	L	B	A	S	E	D

◊ BATH
◊ BLACK
◊ BRAINED
◊ CAGE
◊ FEED
◊ FRIAR
◊ HOUSE
◊ HUMMING
◊ MOCKING
◊ RAIN
◊ REED
◊ RIFLE
◊ SEA
◊ SEED
◊ SHORE
◊ SNAKE
◊ SNOW
◊ TAILOR
◊ THUNDER
◊ WATCHING
◊ WATER
◊ WATTLE
◊ WHIRLY
◊ YARD

120 Excerpt from *The Raven* by Edgar Allan Poe

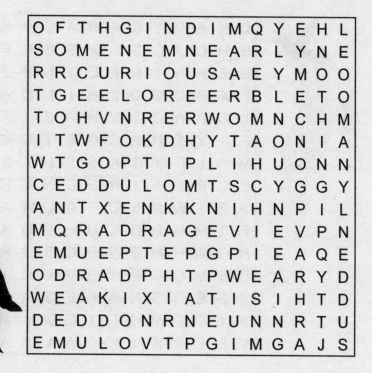

O	F	T	H	G	I	N	D	I	M	Q	Y	E	H	L
S	O	M	E	N	E	M	N	E	A	R	L	Y	N	E
R	R	C	U	R	I	O	U	S	A	E	Y	M	O	O
T	G	E	E	L	O	R	E	E	R	B	L	E	T	O
T	O	H	V	N	R	E	R	W	O	M	N	C	H	M
I	T	W	F	O	K	D	H	Y	T	A	O	N	I	A
W	T	G	O	P	T	I	P	L	I	H	U	O	N	N
C	E	D	D	U	L	O	M	T	S	C	Y	G	G	Y
A	N	T	X	E	N	K	K	N	I	H	N	P	I	L
M	Q	R	A	D	R	A	G	E	V	I	E	V	P	N
E	M	U	E	P	T	E	P	G	P	I	E	A	Q	E
O	D	R	A	D	P	H	T	P	W	E	A	R	Y	D
W	E	A	K	I	X	I	A	T	I	S	I	H	T	D
D	E	D	D	O	N	R	N	E	U	N	N	R	T	U
E	M	U	L	O	V	T	P	G	I	M	G	A	J	S

ONCE UPON A MIDNIGHT DREARY, WHILE I PONDERED,
WEAK AND WEARY,
OVER MANY A QUAINT AND CURIOUS VOLUME OF
FORGOTTEN LORE—
WHILE I NODDED, NEARLY NAPPING, SUDDENLY THERE
CAME A TAPPING,
AS OF SOME ONE GENTLY RAPPING, RAPPING AT MY
CHAMBER DOOR.
"'TIS SOME VISITOR," I MUTTERED, "TAPPING AT MY
CHAMBER DOOR—
ONLY THIS AND NOTHING MORE."

121 Birds Beginning with “A”

A	Y	Y	T	R	L	A	R	T	S	U	A	B	V	A
G	N	T	U	P	O	A	B	B	C	K	K	S	B	E
C	A	M	A	U	I	V	A	U	I	E	O	H	E	T
P	A	I	P	A	R	T	S	A	T	L	H	K	V	G
A	L	L	I	H	A	B	P	P	C	L	E	P	D	H
L	P	A	E	Z	T	O	A	A	R	K	K	W	R	M
A	I	A	U	U	L	E	N	L	A	J	O	F	I	A
K	N	R	P	A	T	T	D	I	O	A	H	A	B	I
I	E	I	A	A	W	I	E	S	E	Y	E	D	T	M
K	I	U	A	R	N	N	A	C	I	R	F	A	N	T
I	L	K	E	N	G	E	N	N	O	Z	H	U	A	R
K	E	N	X	W	I	U	C	N	W	V	S	L	F	N
I	D	A	M	R	F	A	S	A	Q	R	A	T	N	M
I	A	H	A	W	C	A	U	J	V	K	J	B	A	U
A	J	R	O	T	N	E	C	C	A	J	F	H	A	W

- ◊ ACCENTOR
- ◊ ADELIE PENGUIN
- ◊ AFRICAN PITTA
- ◊ AKALAT
- ◊ AKEKEE
- ◊ AKIAPOLAAU
- ◊ AKIKIKI
- ◊ AKOHEKOHE
- ◊ ALEUTIAN TERN
- ◊ ALPINE SWIFT
- ◊ AMAUI
- ◊ AMUR FALCON
- ◊ ANDEAN DUCK
- ◊ ANIANIAU
- ◊ ANTBIRD
- ◊ ANTWREN
- ◊ APALIS
- ◊ APAPANE
- ◊ ARCTIC LOON
- ◊ ARGUS
- ◊ ASTRAPIA
- ◊ AUSTRAL RAIL
- ◊ AVOCET
- ◊ AZURE JAY

It Can Fly But it's Not a Bird

X	O	F	G	N	I	Y	L	F	R	E	T	T	U	B
H	A	S	F	R	W	X	M	U	R	E	T	I	K	A
D	N	M	W	L	S	B	E	G	K	Z	T	J	N	F
T	T	N	D	P	Y	N	A	V	A	S	W	H	N	D
P	A	R	I	I	A	I	Y	L	U	X	A	M	O	R
T	B	D	G	L	U	H	N	C	L	N	S	U	D	A
E	E	R	P	D	E	Q	O	G	G	O	P	F	O	Z
R	E	A	C	M	I	L	S	U	F	A	O	Z	N	I
O	B	G	L	O	V	H	E	G	O	R	S	N	A	L
D	Y	O	U	S	L	R	P	F	N	F	O	E	R	O
A	E	N	Y	Q	A	U	O	A	E	I	E	G	E	C
C	N	F	N	U	Q	J	G	E	N	S	Y	Y	T	A
T	O	L	K	I	E	M	Z	O	C	H	D	L	P	R
Y	H	Y	P	T	M	O	T	H	S	A	Z	A	F	D
L	M	I	H	O	R	S	E	S	H	O	E	B	A	T

◊ ANHANGUERA
◊ ANT
◊ APHID
◊ BALLOON
◊ BUTTERFLY
◊ COLUGOS
◊ DRACO LIZARD
◊ DRAGONFLY
◊ FISH
◊ FLYING FOX
◊ FLYING FROG
◊ FLYING SQUID
◊ HONEY BEE
◊ HORSESHOE BAT
◊ JET
◊ KITE
◊ LOCUST
◊ MOSQUITO
◊ MOTH
◊ PLANE
◊ PTERANODON
◊ PTERO-DACTYL
◊ SPIDER
◊ WASP

123 All About Penguins

E	I	L	E	D	A	S	G	A	L	A	S	L	O	K
E	L	T	T	I	L	D	N	A	L	S	I	A	Y	C
X	I	A	W	N	A	M	I	B	I	A	C	Y	E	A
A	W	V	N	E	I	B	K	S	A	F	H	O	W	I
R	X	R	M	G	N	F	N	O	N	A	M	R	I	L
G	N	O	M	E	O	A	I	O	T	I	A	N	S	A
E	E	C	S	A	R	L	B	O	A	R	G	E	P	R
N	C	K	W	E	A	E	A	T	R	Y	E	W	A	T
T	R	H	S	B	C	T	I	N	C	D	L	Z	R	S
I	O	O	I	Q	A	O	S	E	T	R	L	E	T	U
N	R	P	E	L	M	U	H	G	I	O	A	A	S	A
A	E	P	A	N	E	J	B	E	C	I	N	L	N	O
I	P	E	N	O	R	T	H	E	R	N	I	A	I	D
F	M	R	S	O	U	T	H	E	R	N	C	N	H	C
D	E	T	S	E	R	C	T	C	E	R	E	D	C	H

- ◊ ADELIE
- ◊ ANGOLA
- ◊ ANTARCTIC
- ◊ ARGENTINA
- ◊ AUSTRALIA
- ◊ CHILE
- ◊ CHINSTRAP
- ◊ EMPEROR
- ◊ ERECT-CRESTED
- ◊ FAIRY
- ◊ FIORDLAND
- ◊ GENTOO
- ◊ ISLAND
- ◊ KING
- ◊ LITTLE
- ◊ MACARONI
- ◊ MAGELLANIC
- ◊ NAMIBIA
- ◊ NEW ZEALAND
- ◊ NORTHERN
- ◊ ROCKHOPPER
- ◊ ROYAL
- ◊ SNARES
- ◊ SOUTHERN

124 Bird-related First Names

N	I	B	O	R	N	V	Q	Z	I	E	J	T	G	U
R	M	H	R	E	D	O	X	E	R	V	O	N	G	M
A	I	E	R	E	O	Q	M	I	A	O	N	E	H	C
V	V	W	R	C	I	R	C	E	N	D	T	Y	Y	E
E	B	Y	B	L	U	S	B	M	R	E	H	S	A	L
N	N	I	L	V	E	R	N	X	D	L	O	N	E	A
P	L	P	R	N	P	H	I	M	H	X	I	H	U	N
Y	O	D	F	D	A	P	N	A	E	Q	Y	N	P	D
E	Y	J	N	N	I	V	D	H	T	A	E	J	T	I
M	A	R	O	H	P	E	S	I	J	L	L	T	A	N
G	A	J	A	R	P	K	C	C	V	X	A	A	L	E
U	G	N	A	H	I	Q	O	S	K	R	A	N	R	W
A	Z	Y	U	E	H	J	L	J	A	R	A	H	V	K
Z	R	Y	H	A	Q	T	M	G	T	R	J	E	A	T
R	L	T	M	U	L	L	A	C	B	X	M	K	I	V

◊ ALTAIR
◊ ARVID
◊ BIRDIE
◊ BRAN
◊ CALLUM
◊ CELANDINE
◊ CHENOA
◊ CIRCE
◊ COLM
◊ DERYN
◊ DOVE
◊ JAY
◊ JONAH
◊ LARK
◊ MANU
◊ MERLE
◊ MERLIN
◊ NESTOR
◊ PHOENIX
◊ RAVEN
◊ RHEA
◊ ROBIN
◊ SEPHORA
◊ WREN

125 Birds Beginning with “B”

B	E	A	D	B	I	T	T	E	R	N	B	B	A	B
B	H	L	B	C	U	S	B	E	F	O	E	L	E	U
V	A	A	E	B	N	F	B	L	B	Q	A	U	Z	Y
B	G	Y	B	R	L	L	F	O	W	T	R	E	E	A
A	L	P	A	A	A	A	L	L	B	D	D	T	B	E
R	O	B	S	C	B	I	E	U	E	B	E	H	A	B
S	R	U	K	E	N	S	L	R	U	H	D	R	T	A
E	B	C	R	K	K	L	R	S	O	L	E	O	B	B
B	A	E	Z	C	F	A	T	E	M	B	L	A	D	B
P	X	L	I	I	B	A	B	A	S	N	J	T	D	L
A	Q	W	N	E	R	L	D	C	A	D	W	B	M	E
B	E	C	Z	D	B	L	U	E	B	I	R	D	K	R
B	H	L	L	E	B	B	B	E	J	B	E	I	N	K
B	R	A	M	B	L	I	N	G	B	A	S	X	A	B
B	I	A	B	D	R	I	B	K	C	A	L	B	B	B

- ◊ BABBLER
- ◊ BAIRD’S JUNCO
- ◊ BALD EAGLE
- ◊ BANK MYNAH
- ◊ BARN OWL
- ◊ BARRED HAWK
- ◊ BAYA WEAVER
- ◊ BEAN GOOSE
- ◊ BEARDED TIT
- ◊ BELL MINER
- ◊ BESRA
- ◊ BEWICK’S SWAN
- ◊ BITTERN
- ◊ BLACKBIRD
- ◊ BLACKCAP
- ◊ BLUEBIRD
- ◊ BLUETHROAT
- ◊ BOBOLINK
- ◊ BOREAL OWL
- ◊ BRAMBLING
- ◊ BROLGA
- ◊ BUFFLEHEAD
- ◊ BULLFINCH
- ◊ BUSTARD

126 Flock Names – Part Two

N	O	I	S	N	E	C	S	A	R	T	Y	N	G	R
S	V	P	G	P	A	D	F	F	P	M	Z	B	H	S
E	Z	I	R	M	B	T	E	L	D	D	U	H	K	R
T	Z	A	T	U	A	I	H	O	M	Q	W	E	X	V
T	W	P	O	S	T	E	N	T	A	T	I	O	N	P
E	E	H	J	T	T	C	C	I	X	N	A	D	O	D
L	L	S	X	E	E	E	O	L	K	T	Q	O	Y	L
A	T	U	S	R	R	D	R	L	Z	V	C	Q	E	E
P	T	L	C	R	Y	C	R	A	V	S	A	I	C	R
I	A	F	E	L	T	T	A	R	P	E	S	N	L	E
D	R	L	B	Y	G	C	L	A	M	L	A	Y	V	M
Z	Y	Y	S	E	G	Y	R	V	U	I	H	C	S	M
H	M	S	F	Y	V	T	J	R	D	X	A	N	I	I
D	A	N	C	E	Y	Y	P	A	Y	S	X	W	C	H
M	U	L	Y	S	A	Y	R	I	T	V	S	Y	Z	S

◊ ASCENSION
◊ ASYLUM
◊ BATTERY
◊ BEVY
◊ CAST
◊ CORRAL
◊ DANCE
◊ DECEIT
◊ FLOTILLA
◊ FLUSH
◊ HUDDLE
◊ MUSTER
◊ OSTENTATION
◊ PALETTE
◊ PARTY
◊ PRATTLE
◊ RADIANCE
◊ RATTLE
◊ SCOOP
◊ SHIMMER
◊ SKEIN
◊ SLURP
◊ SWIM
◊ WARP

Birds Beginning with "S"

S	E	R	E	S	A	N	Y	J	S	U	N	M	D	S
A	L	A	E	B	M	N	I	R	Y	S	E	N	R	A
S	C	T	S	J	P	J	I	R	G	R	E	S	I	S
K	U	S	T	A	S	A	S	K	E	A	U	E	B	W
S	E	L	C	Y	R	H	C	S	S	S	H	T	Y	O
G	S	U	A	U	O	U	E	W	U	I	P	S	R	R
W	E	M	S	V	L	K	S	L	O	N	S	Y	A	R
S	O	B	E	S	R	L	Q	L	D	N	B	R	T	A
A	A	L	E	A	O	A	I	I	W	U	S	I	E	P
S	U	R	L	R	Q	R	N	B	E	B	C	S	R	S
S	H	Y	K	A	G	Z	A	E	P	S	T	K	C	D
U	K	K	G	I	W	N	S	O	I	R	T	R	E	S
S	W	D	E	S	H	S	U	H	N	M	A	O	S	P
E	A	S	U	A	J	S	M	S	S	A	Y	H	R	O
S	T	F	I	W	S	H	R	I	K	E	S	R	S	K

◊ SARUS CRANE

◊ SECRETARY-BIRD

◊ SERIN

◊ SHAG

◊ SHARPBILL

◊ SHELDUCK

◊ SHIKRA

◊ SHOEBILL

◊ SHRIKE

◊ SIRYSTES

◊ SISKIN

◊ SKYLARK

◊ SMEW

◊ SNIPE

◊ SNOWCAP

◊ SORA

◊ SPARROW

◊ STAR FINCH

◊ STORK

◊ SULA PITTA

◊ SUNBIRD

◊ SUNGREBE

◊ SWALLOW

◊ SWIFT

128 Important Bird Areas, Sanctuaries, and Reserves

G	G	L	N	N	Z	Y	V	A	E	T	U	K	A	T
Y	R	I	J	O	J	U	C	L	K	L	W	D	Q	X
S	U	A	H	Q	L	I	L	D	Z	O	L	E	A	P
S	B	B	T	T	V	O	V	X	M	A	T	S	H	R
K	O	X	U	A	B	C	J	A	K	S	A	A	T	E
O	H	R	S	S	N	Y	D	K	O	B	S	W	A	K
O	E	A	I	O	H	U	I	E	K	Y	D	O	M	E
P	Z	T	I	A	M	Y	V	H	B	H	J	M	R	O
M	S	O	C	N	E	M	A	L	F	S	O	L	A	B
E	I	E	E	A	Z	T	A	W	J	R	U	Z	G	A
C	L	A	R	K	E	S	D	A	L	E	D	T	A	H
X	V	K	T	Y	U	L	E	N	I	Y	J	Z	S	C
F	N	J	O	N	K	I	I	Y	G	W	A	D	N	I
D	W	R	P	U	A	K	A	R	T	S	A	K	H	I
B	X	X	W	T	F	P	R	A	P	A	I	T	I	W

- ◊ BOLLE DI MAGADINO
- ◊ BUSHY PARK
- ◊ CLARKES-DALE
- ◊ DJOUDJ
- ◊ EL-KOUF
- ◊ HOBURG SHOAL
- ◊ ICHABOE
- ◊ INDAWGYI
- ◊ KARTSAKHI
- ◊ KOTA KINABALU
- ◊ LAKKI MARWAT
- ◊ LOS FLAMENCOS
- ◊ MADUM
- ◊ NATA
- ◊ PANTAI LEKA
- ◊ POOK'S HILL
- ◊ PREK TOAL
- ◊ RAPA ITI
- ◊ SABKHAT AL-JABBUL
- ◊ SAGARMATHA
- ◊ TAKUTEA
- ◊ TYULENIY
- ◊ VULTURE RESTAURANT
- ◊ ZASAVICA

129 Rhymes with "Crane"

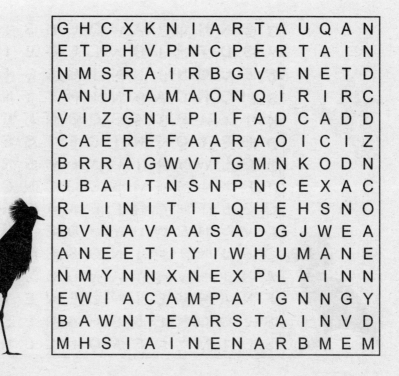

G	H	C	X	K	N	I	A	R	T	A	U	Q	A	N
E	T	P	H	V	P	N	C	P	E	R	T	A	I	N
N	M	S	R	A	I	R	B	G	V	F	N	E	T	D
A	N	U	T	A	M	A	O	N	Q	I	R	I	R	C
V	I	Z	G	N	L	P	I	F	A	D	C	A	D	D
C	A	E	R	E	F	A	A	R	A	O	I	C	I	Z
B	R	R	A	G	W	V	T	G	M	N	K	O	D	N
U	B	A	I	T	N	S	N	P	N	C	E	X	A	C
R	L	I	N	I	T	I	L	Q	H	E	H	S	N	O
B	V	N	A	V	A	A	S	A	D	G	J	W	E	A
A	N	E	E	T	I	Y	I	W	H	U	M	A	N	E
N	M	Y	N	N	X	N	E	X	P	L	A	I	N	N
E	W	I	A	C	A	M	P	A	I	G	N	N	G	Y
B	A	W	N	T	E	A	R	S	T	A	I	N	V	D
M	H	S	I	A	I	N	E	N	A	R	B	M	E	M

◊ BRAIN
◊ CAMPAIGN
◊ CHAIN
◊ CHAMPAGNE
◊ COMPLAIN
◊ COXSWAIN
◊ DRAIN
◊ EXPLAIN
◊ GRAIN
◊ HUMANE
◊ INANE
◊ MAINTAIN
◊ MEMBRANE
◊ PERTAIN
◊ PROFANE
◊ QUATRAIN
◊ REFRAIN
◊ REGAIN
◊ STRAIN
◊ SUZERAIN
◊ TEARSTAIN
◊ TWAIN
◊ URBANE
◊ VANE

Excerpt from *Aepyornis Island* by H. G. Wells

Y	E	N	H	C	T	A	W	D	E	H	S	I	F	P
T	S	D	T	P	I	C	K	L	E	D	E	I	R	T
R	E	U	G	N	I	N	N	I	G	E	B	I	A	T
A	H	O	R	C	A	G	N	I	H	T	Y	N	A	G
W	T	Y	W	P	L	A	G	O	O	N	H	E	R	N
A	E	P	Y	O	R	N	I	S	F	T	S	E	I	I
E	G	L	W	V	A	I	G	A	E	H	E	R	M	T
T	R	X	I	S	E	H	S	S	G	C	N	G	D	S
U	E	E	T	H	E	R	P	E	A	A	S	R	C	E
O	V	Y	H	R	W	U	Y	H	D	E	I	H	A	R
B	E	J	K	T	H	I	N	G	S	B	B	N	U	E
A	N	I	F	V	S	T	A	N	D	D	L	C	G	T
F	N	A	R	K	C	I	H	C	E	N	E	I	H	N
S	L	O	O	K	E	D	S	H	A	R	E	S	T	I
S	D	I	M	Y	D	E	W	O	L	L	O	F	U	I

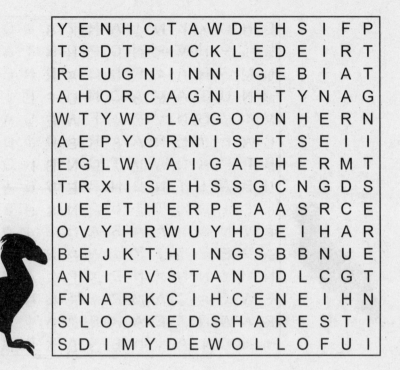

YOU'D BE SURPRISED WHAT AN INTERESTING BIRD THAT AEPYORNIS CHICK WAS. HE FOLLOWED ME ABOUT FROM THE VERY BEGINNING. HE USED TO STAND BY ME AND WATCH WHILE I FISHED IN THE LAGOON, AND GO SHARES IN ANYTHING I CAUGHT. AND HE WAS SENSIBLE, TOO. THERE WERE NASTY GREEN WARTY THINGS, LIKE PICKLED GHERKINS, USED TO LIE ABOUT ON THE BEACH, AND HE TRIED ONE OF THESE AND IT UPSET HIM. HE NEVER EVEN LOOKED AT ANY OF THEM AGAIN.

Book Title Birds

H	C	N	I	F	D	L	O	G	K	B	I	E	D	R
S	H	I	L	S	W	O	R	C	H	I	C	J	E	E
I	E	W	H	B	R	F	E	N	A	R	C	G	Z	L
M	O	V	A	O	E	A	W	S	O	F	E	F	B	A
R	O	Q	O	R	Y	O	V	E	W	E	Y	H	R	G
E	W	C	J	D	R	A	S	E	S	R	G	N	P	N
H	R	S	K	R	S	E	J	E	N	E	M	I	A	I
S	F	W	A	I	A	Y	H	G	E	V	C	W	P	T
I	D	P	Z	G	N	E	P	D	N	S	S	K	Y	H
F	S	R	U	P	R	G	A	A	O	I	R	M	U	G
G	A	L	I	O	C	K	B	O	R	A	K	D	W	I
N	L	L	N	B	C	R	K	I	L	R	F	C	B	N
I	U	U	C	I	C	C	A	Y	R	X	O	S	O	P
K	A	N	H	O	U	S	K	K	C	D	E	T	S	M
I	S	C	E	C	N	S	L	W	E	T	B	I	D	R

- ◊ *A FEAST FOR CROWS*
- ◊ *CHICKADEE*
- ◊ *FLAUBERT'S PARROT*
- ◊ *KINGFISHER DAYS*
- ◊ *LONESOME DOVE*
- ◊ *MOCKINGJAY*
- ◊ *ORYX AND CRAKE*
- ◊ *OWL MOON*
- ◊ *SKYLARK*
- ◊ *SPARROW*
- ◊ *THE CRANE WIFE*
- ◊ *THE CUCKOO'S CALLING*
- ◊ *THE GOLDFINCH*
- ◊ *THE HERON*
- ◊ *THE MALTESE FALCON*
- ◊ *THE NIGHTINGALE*
- ◊ *THE PIGEON*
- ◊ *THE RAVEN BOYS*
- ◊ *THE SEAGULL*
- ◊ *THE SNOW GEESE*
- ◊ *THE SWAN THIEVES*
- ◊ *THE THORN BIRDS*
- ◊ *TO KILL A MOCKING-BIRD*

132 Baby Birds

U	A	T	K	Z	W	C	G	N	I	L	T	S	E	N
R	H	A	T	C	H	L	I	N	G	J	S	O	L	L
S	E	C	S	E	K	O	M	N	C	U	P	Z	T	P
P	T	K	E	Q	M	B	I	P	B	S	C	F	E	T
Q	W	P	A	G	U	L	M	A	T	L	B	E	L	T
I	E	G	F	E	F	E	D	H	T	J	P	F	G	T
R	J	Y	H	F	U	U	A	E	P	O	E	N	A	E
K	A	O	U	X	L	Q	L	L	U	U	I	N	E	N
F	K	P	Z	T	X	W	S	L	E	L	L	F	N	G
T	E	L	N	O	O	L	T	K	K	R	U	L	Q	Y
U	T	I	B	K	C	I	H	C	A	E	P	A	E	C
L	K	E	E	T	W	U	U	I	I	Q	I	P	P	T
G	S	Q	U	A	B	D	H	H	C	H	H	P	Q	M
A	G	N	I	L	S	O	G	C	C	J	Z	E	Y	A
E	J	U	V	E	L	I	N	E	V	U	J	R	D	H

◊ CHEEPER
◊ CHICK
◊ CYGNET
◊ DUCKLING
◊ EAGLET
◊ FLAPPER
◊ GOSLING
◊ HATCHLING
◊ JAKE
◊ JENNY
◊ JUVENILE
◊ KEET
◊ LOONLET
◊ NESTLING
◊ OWLET
◊ PEACHICK
◊ PEEP
◊ POULT
◊ PUFFLING
◊ PULLET
◊ SQUAB
◊ SQUEAKER
◊ SQUEALER
◊ SUBADULT

133 Birds on TV

K	C	U	D	Y	S	I	A	D	C	K	B	J	H	S
U	B	R	E	K	C	A	U	Q	W	C	T	W	L	W
G	J	K	D	P	C	F	X	X	O	U	O	E	C	S
T	W	P	E	X	I	U	G	O	O	D	E	Y	E	W
O	W	Y	I	L	C	Y	D	U	D	Y	G	N	L	K
U	K	A	T	N	K	Z	E	D	Y	F	D	M	K	B
C	S	Z	N	E	G	C	M	W	L	F	I	C	C	Y
A	O	K	R	D	E	U	E	W	E	A	P	U	E	R
N	P	E	I	U	A	W	E	J	G	D	N	U	H	D
S	Q	J	I	P	O	P	T	O	R	E	H	O	R	R
A	B	T	I	U	P	R	I	V	A	T	E	I	D	I
M	T	J	L	Y	O	E	C	E	R	C	C	M	W	B
C	L	W	Y	X	Z	L	R	W	R	O	C	T	B	G
R	O	Y	R	O	O	S	T	E	R	C	M	E	F	I
U	K	V	R	J	D	A	E	H	G	G	E	Z	B	B

◊ BECCA

◊ BIG BIRD

◊ DAFFY DUCK

◊ DAISY DUCK

◊ DEWEY

◊ DONALD DUCK

◊ EGGHEAD, JR.

◊ HECKLE

◊ HUEY

◊ IAGO

◊ JECKLE

◊ LOUIE

◊ OWL

◊ PIDGEOT

◊ PINGU

◊ PRIVATE

◊ QUACKER

◊ RICO

◊ ROY ROOSTER

◊ SKIPPER

◊ TOUCAN SAM

◊ TWEETY

◊ WANDA PIERCE

◊ WOODY

Solutions

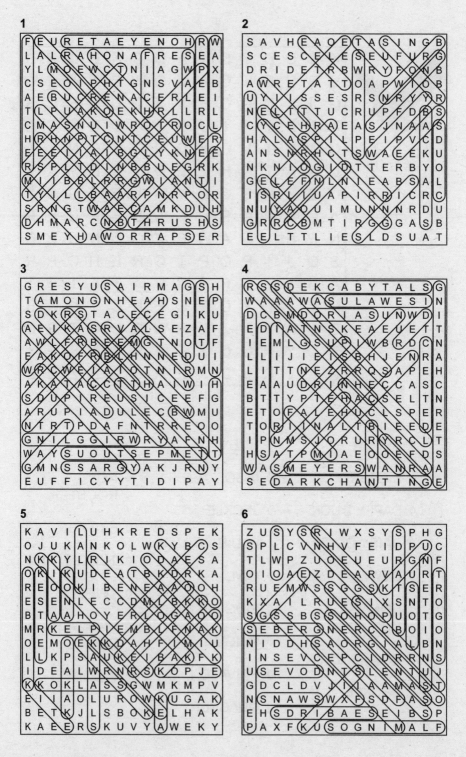

1

F	E	U	R	E	T	A	E	Y	E	N	O	H	R	W
L	A	L	R	A	H	O	N	A	F	R	E	S	E	A
Y	L	M	O	E	W	C	T	N	I	A	G	W	P	X
C	S	E	O	I	P	H	T	G	N	S	V	A	E	B
A	E	B	U	C	R	E	N	A	C	E	R	L	E	I
T	L	P	U	A	K	O	E	K	H	R	L	L	R	L
C	M	A	S	N	U	I	W	R	O	T	R	O	C	L
H	R	H	N	P	T	C	N	T	C	E	U	W	E	R
E	E	E	I	I	A	I	B	G	L	Y	K	N	E	E
R	S	P	L	T	D	I	N	B	B	U	E	G	R	K
M	I	I	B	B	L	R	R	G	W	I	A	N	T	I
T	Y	I	L	L	B	A	A	R	P	N	R	P	O	R
S	R	N	G	T	W	A	E	C	A	M	K	D	U	H
D	H	M	A	R	C	N	B	T	H	R	U	S	H	S
S	M	E	Y	H	A	W	O	R	R	A	P	S	E	R

2

S	A	V	H	E	A	O	E	T	A	S	I	N	G	B
S	C	E	S	C	E	L	E	S	E	U	F	U	R	G
D	R	I	D	E	T	R	B	W	R	Y	F	O	N	B
A	W	R	E	T	A	T	T	O	A	P	W	I	O	B
U	Y	I	I	S	S	E	S	R	S	N	R	Y	Y	R
N	E	L	T	T	T	U	C	R	U	P	F	D	B	S
C	Y	C	E	H	R	A	E	A	S	J	N	A	A	S
H	A	L	A	S	P	I	L	P	E	I	P	V	C	D
A	N	S	N	R	H	C	T	S	W	A	E	E	K	U
N	K	N	I	O	G	I	D	T	T	E	R	B	Y	O
G	E	L	E	F	N	L	N	I	E	A	B	S	A	L
I	S	R	L	I	U	A	P	I	R	R	I	C	R	C
N	U	Y	A	O	U	I	M	U	N	N	N	R	D	U
G	R	R	C	B	M	T	I	R	G	G	G	A	S	B
E	E	L	T	T	L	I	E	S	L	D	S	U	A	T

3

G	R	E	S	Y	U	S	A	I	R	M	A	G	S	H
T	A	M	O	N	G	N	H	E	A	H	S	N	E	P
S	D	K	R	S	T	A	C	E	C	E	G	I	K	U
A	E	I	K	A	S	R	V	A	L	S	E	Z	A	F
A	W	L	F	R	B	E	E	M	G	T	N	O	T	F
E	A	K	O	F	R	B	L	H	N	N	E	D	U	I
W	R	C	W	E	I	A	I	O	T	N	I	R	M	N
A	K	A	T	A	C	C	T	T	H	A	I	W	I	H
S	D	U	P	I	R	E	U	S	I	C	E	E	F	G
A	R	U	P	I	A	D	U	L	E	C	B	W	M	U
N	T	R	T	P	D	A	F	N	T	R	R	E	O	O
G	N	I	L	G	G	I	R	W	R	Y	A	F	N	H
W	A	Y	S	U	O	U	T	S	E	P	M	E	T	T
G	M	N	S	S	A	R	G	Y	A	K	J	R	N	Y
E	U	F	F	I	C	Y	Y	T	I	D	I	P	A	Y

4

R	S	S	D	E	K	C	A	B	Y	T	A	L	S	G
W	A	A	A	W	A	S	U	L	A	W	E	S	I	N
D	C	B	M	D	O	R	I	A	S	U	N	W	D	I
E	D	I	A	T	N	S	K	E	A	E	U	E	T	T
I	E	M	L	G	S	U	P	I	W	B	R	D	C	N
L	L	I	J	I	E	I	S	B	H	J	E	N	R	A
L	I	T	T	N	E	Z	R	R	Q	S	A	P	E	H
E	A	A	U	D	R	I	N	H	E	C	C	A	S	C
B	T	T	Y	P	T	E	H	A	C	S	E	L	T	N
E	T	O	F	A	L	E	H	U	C	L	S	P	E	R
T	O	R	I	I	N	A	L	T	B	I	E	E	D	E
I	P	N	M	S	J	O	R	U	R	Y	R	C	L	T
H	S	A	T	P	M	I	A	E	O	O	E	F	D	S
W	A	S	M	E	Y	E	R	S	W	A	N	R	A	A
S	E	D	A	R	K	C	H	A	N	T	I	N	G	E

5

K	A	V	I	L	U	H	K	R	E	D	S	P	E	K
O	J	U	K	A	N	K	O	L	W	K	Y	B	C	S
N	K	K	Y	L	R	I	K	I	O	D	A	E	S	A
O	K	I	K	U	D	E	A	T	B	K	D	R	K	A
R	E	O	O	K	I	B	E	N	E	A	A	O	O	H
E	S	E	N	L	E	C	C	D	M	L	B	K	K	O
B	T	A	A	H	O	Y	E	R	L	O	G	A	O	O
M	R	K	E	L	P	I	E	M	B	L	F	N	A	K
O	E	M	O	E	K	K	D	A	H	F	I	M	I	U
L	L	K	P	S	A	U	K	E	I	B	A	K	F	K
I	D	E	A	L	W	R	N	R	S	K	O	P	J	E
K	K	O	K	L	A	S	S	G	W	M	K	M	P	V
E	I	I	A	O	L	U	R	O	W	K	U	G	A	K
B	E	T	K	J	L	S	B	O	K	E	L	H	A	K
K	A	E	E	R	S	K	U	V	Y	A	W	E	K	Y

6

Z	U	S	Y	S	R	I	W	X	S	Y	S	P	H	G
S	P	L	C	V	N	H	V	F	E	I	D	P	U	C
T	L	W	P	Z	U	O	E	U	E	U	R	G	N	F
O	I	O	A	E	Z	D	E	A	R	V	A	U	R	T
R	U	E	M	W	S	S	G	G	S	K	T	S	E	R
K	X	A	I	L	R	U	E	S	I	X	S	N	T	O
S	G	S	S	B	S	S	O	H	O	P	U	O	T	G
S	E	B	E	R	G	N	E	R	C	C	B	O	I	O
N	I	D	D	H	S	A	O	R	G	I	A	L	B	N
I	N	S	E	V	C	E	P	C	I	D	R	R	N	S
U	S	E	V	O	D	N	T	S	L	E	N	T	U	J
G	D	C	L	D	V	J	I	I	A	A	M	A	S	T
N	S	N	A	W	S	W	X	F	S	D	F	A	S	O
E	H	S	D	R	I	B	A	E	S	E	I	B	S	P
P	A	X	F	K	U	S	O	G	N	I	M	A	L	F

Solutions

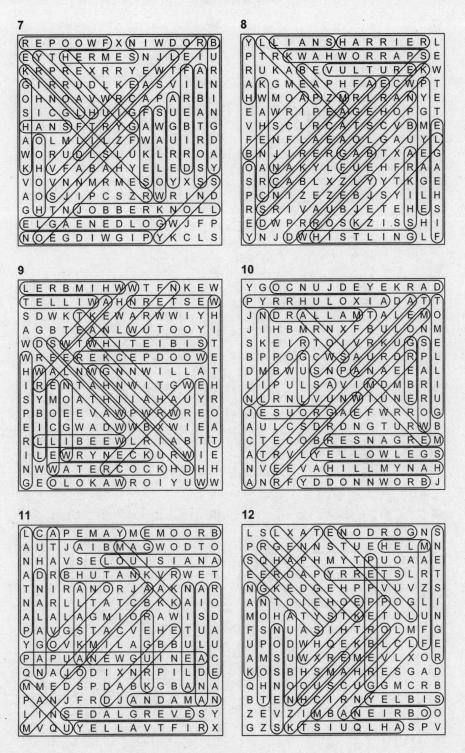

7

R	E	P	O	O	W	F	X	N	I	W	D	O	R	B
E	Y	T	H	E	R	M	E	S	N	J	L	E	I	U
K	R	P	R	E	X	R	R	Y	E	W	T	F	A	R
G	I	R	R	U	D	L	K	E	A	S	V	I	L	N
O	H	N	O	A	V	W	R	C	A	P	A	R	B	I
S	I	C	G	L	H	U	I	G	F	S	U	E	A	N
H	A	N	S	F	T	R	Y	G	A	W	G	B	T	G
A	O	L	M	L	I	L	Z	F	W	A	U	I	R	D
W	O	R	U	D	L	S	L	U	K	L	R	R	O	A
K	H	V	F	A	B	A	H	Y	E	L	E	D	S	Y
V	O	V	N	N	M	R	M	E	S	O	Y	X	S	S
A	O	S	J	I	P	C	S	Z	R	W	R	I	N	D
G	H	T	N	J	O	B	B	E	R	K	N	O	L	L
E	L	G	A	E	N	E	D	L	O	G	W	J	F	P
N	O	E	G	D	I	W	G	I	P	Y	K	C	L	S

8

Y	L	L	I	A	N	S	H	A	R	R	I	E	R	L
P	T	R	K	W	A	H	W	O	R	R	A	P	S	E
R	U	K	A	B	E	V	U	L	T	U	R	E	K	W
A	K	G	M	E	A	P	H	F	A	E	C	W	P	T
H	W	M	O	A	P	Z	M	R	L	R	A	N	Y	E
E	A	W	R	I	P	E	A	G	E	H	O	P	G	T
V	H	S	C	L	R	C	A	T	S	C	V	B	M	E
F	E	N	F	L	A	E	A	O	L	G	A	U	Y	L
B	N	J	I	R	E	R	G	A	B	T	X	A	E	G
O	A	N	A	K	Y	L	F	U	E	H	F	R	A	A
S	R	C	A	B	L	X	Z	L	Y	Y	T	K	G	E
P	C	N	I	Z	E	Z	E	B	J	S	Y	I	L	H
R	S	R	I	V	A	U	B	J	E	T	E	H	E	S
E	D	W	P	R	R	O	S	K	Z	I	S	S	H	I
Y	N	J	D	W	H	I	S	T	L	I	N	G	L	F

9

L	E	R	B	M	I	H	W	W	T	F	N	K	E	W
T	E	L	L	I	W	A	H	N	R	E	T	S	E	W
S	D	W	K	T	K	E	W	A	R	W	W	I	Y	H
A	G	B	T	E	A	N	L	W	U	T	O	O	Y	I
W	D	S	W	T	W	H	I	T	E	I	B	I	S	T
W	R	E	E	R	E	K	C	E	P	D	O	O	W	E
H	W	A	L	N	W	G	N	N	W	I	L	L	A	T
I	R	E	N	T	A	H	N	W	I	T	G	W	E	H
S	Y	M	O	A	T	H	I	I	A	H	A	U	Y	R
P	B	O	E	E	V	A	W	P	W	R	W	R	E	O
E	I	C	G	W	A	D	W	W	B	X	W	I	E	A
R	L	L	I	B	E	E	W	L	R	I	A	B	T	T
I	L	E	W	R	Y	N	E	C	K	U	R	W	I	E
N	W	W	A	T	E	R	C	O	C	K	H	D	H	H
G	E	O	L	O	K	A	W	R	O	I	Y	U	W	W

10

Y	G	O	C	N	U	J	D	E	Y	E	K	R	A	D
P	Y	R	R	H	U	L	O	X	I	A	D	A	T	T
J	N	D	R	A	L	L	A	M	T	A	L	E	M	O
J	I	H	B	M	R	N	X	F	B	U	L	O	N	M
S	K	E	I	R	T	O	I	V	R	K	U	G	S	E
B	P	P	O	G	C	W	S	A	U	R	D	R	P	L
D	M	B	W	U	S	N	P	A	N	A	E	E	A	L
L	I	P	U	L	S	A	V	I	M	D	M	B	R	I
N	L	R	N	L	V	U	N	W	I	U	N	E	R	U
J	E	S	U	O	R	G	A	E	F	W	R	R	O	G
A	U	L	C	S	D	R	D	N	G	T	U	R	W	B
C	T	E	C	O	B	R	E	S	N	A	G	R	E	M
A	T	R	V	L	Y	E	L	L	O	W	L	E	G	S
N	V	E	E	V	A	H	I	L	L	M	Y	N	A	H
A	N	R	F	Y	D	D	O	N	N	W	O	R	B	J

11

L	C	A	P	E	M	A	Y	M	E	M	O	O	R	B
A	U	T	J	A	I	B	M	A	G	W	O	D	T	O
N	H	A	V	S	E	L	O	U	I	S	I	A	N	A
A	D	R	B	H	U	T	A	N	K	V	R	W	E	T
T	N	I	R	A	N	O	R	J	A	A	K	N	A	R
N	A	R	L	L	T	A	T	C	B	K	K	A	I	O
A	L	A	L	A	G	M	I	O	R	A	W	I	S	D
P	A	V	G	S	T	A	C	V	E	H	E	T	U	A
Y	G	O	V	K	M	I	L	A	G	B	B	U	L	U
P	A	P	U	A	N	E	W	G	U	I	N	E	A	C
Q	N	A	J	O	D	I	X	N	R	P	I	L	D	E
M	M	E	D	S	P	D	A	B	K	G	B	A	N	A
P	A	N	J	F	R	D	J	A	N	D	A	M	A	N
L	I	N	S	E	D	A	L	G	R	E	V	E	S	Y
M	V	Q	U	Y	E	L	L	A	V	T	F	I	R	X

12

L	S	L	X	A	T	E	N	O	D	R	O	G	N	S
P	R	G	E	N	N	S	T	U	E	H	E	L	M	N
S	Q	H	A	P	H	M	Y	T	P	U	O	A	A	E
E	E	R	O	A	P	Y	R	R	E	T	S	L	R	T
N	G	K	E	D	G	E	H	P	P	V	U	V	Z	S
A	N	T	O	I	E	H	O	E	P	P	O	G	L	I
M	O	H	A	T	Y	S	T	K	E	T	U	L	U	N
F	S	N	U	A	S	I	H	T	R	O	L	M	F	G
U	P	O	D	W	H	Q	E	K	B	L	C	L	F	E
A	M	S	U	W	X	R	E	M	E	V	L	X	O	R
K	O	S	B	H	S	M	A	H	R	E	S	G	A	D
Q	H	N	O	O	U	S	C	U	G	G	M	C	R	B
B	T	E	N	H	C	I	R	N	Y	E	L	B	I	S
Z	E	V	Z	I	M	B	A	N	E	I	R	B	O	O
G	Z	S	K	T	S	I	U	Q	L	H	A	S	P	V

Solutions

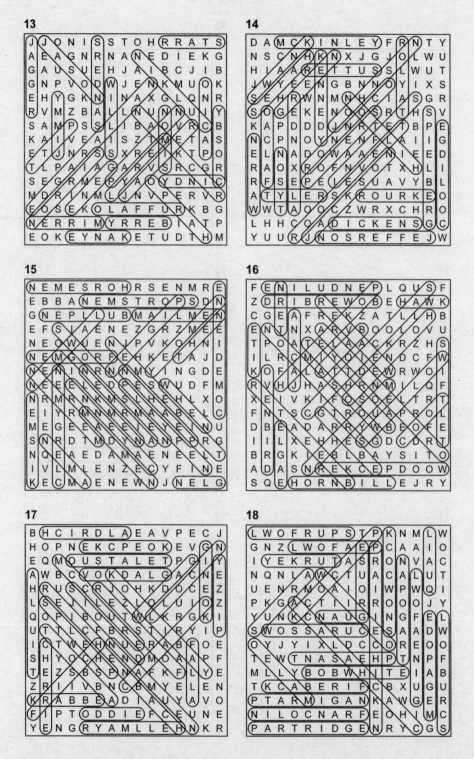

13

J	J	O	N	I	S	S	T	O	H	R	R	A	T	S
A	E	A	G	N	R	N	A	N	E	D	I	E	K	G
G	A	U	S	U	E	H	J	A	I	B	C	J	I	B
G	N	P	V	O	D	W	J	E	N	K	M	U	O	K
E	H	Y	G	K	N	I	N	A	X	G	L	Q	N	R
R	V	M	Z	B	A	L	L	N	U	N	N	U	I	Y
S	A	M	P	S	S	L	I	B	A	O	V	R	C	B
K	A	I	V	E	A	I	S	Z	T	M	E	T	A	S
E	T	J	N	R	S	S	X	R	E	I	K	T	P	O
T	L	P	A	I	A	G	A	R	V	S	R	C	G	R
S	E	G	R	M	E	P	Y	A	O	Y	D	N	I	C
M	D	R	I	N	M	L	J	N	V	P	E	R	V	R
E	O	S	E	K	O	L	A	F	F	U	R	K	B	G
N	E	R	R	I	M	Y	R	R	E	B	I	A	T	P
E	O	K	E	Y	N	A	K	E	T	U	D	T	H	M

14

D	A	M	C	K	I	N	L	E	Y	F	R	N	T	Y
N	S	C	N	H	K	N	X	J	G	J	O	L	W	U
H	I	A	A	R	E	T	T	U	S	S	L	W	U	T
J	W	Y	E	E	N	G	B	N	N	O	Y	I	X	S
S	E	H	R	W	N	M	N	H	C	I	A	S	G	R
S	O	G	E	K	E	N	O	O	S	R	T	H	S	V
K	A	P	D	D	D	J	N	R	T	E	T	B	P	E
N	C	P	N	O	Y	N	E	N	F	L	A	I	I	G
E	L	N	A	D	O	W	A	A	E	N	I	E	E	D
R	A	O	X	R	O	F	N	V	O	T	X	H	L	I
R	F	S	E	P	E	L	E	S	U	A	V	Y	B	L
A	T	Y	L	E	R	S	K	R	O	U	R	K	E	O
W	W	T	A	O	O	C	Z	W	R	X	C	H	R	O
L	H	H	C	O	A	D	I	C	K	E	N	S	G	C
Y	U	U	R	J	N	O	S	R	E	F	F	E	J	W

15

N	E	M	E	S	R	O	H	R	S	E	N	M	R	E
E	B	B	A	N	E	M	S	T	R	O	P	S	D	N
G	N	E	P	L	L	U	B	M	A	I	L	M	E	N
E	F	S	I	A	E	N	E	Z	G	R	Z	M	E	E
N	E	O	W	U	E	N	I	P	V	K	O	H	N	I
N	E	M	G	O	R	F	E	H	K	E	T	A	J	D
N	E	N	I	N	R	N	N	M	Y	I	N	G	D	E
N	E	E	E	L	E	D	P	E	S	W	U	D	F	M
N	R	M	R	N	K	M	S	L	H	E	H	L	X	O
E	I	Y	R	M	N	M	R	M	A	A	B	E	L	C
M	E	G	E	E	A	E	E	I	E	Y	E	I	N	U
S	N	R	D	T	M	D	Y	N	A	N	P	P	R	G
N	Q	E	A	E	D	A	M	A	E	N	E	E	L	T
I	V	L	M	L	E	N	Z	E	C	Y	F	I	N	E
K	E	C	M	A	E	N	E	W	N	J	N	E	L	G

16

F	E	N	I	L	U	D	N	E	P	L	Q	U	S	F
Z	D	R	I	B	R	E	W	O	B	E	H	A	W	K
C	G	E	A	F	R	E	K	Z	A	T	L	L	H	B
E	N	T	N	X	A	R	V	B	O	O	L	O	V	U
T	P	O	A	T	E	L	A	A	C	K	R	Z	H	S
I	L	R	C	M	I	Y	O	I	E	N	D	C	F	W
K	O	F	A	L	A	T	T	D	E	W	R	W	O	I
R	V	H	J	H	A	S	H	R	N	M	I	L	Q	F
X	E	I	V	K	I	F	O	S	O	E	L	T	R	T
F	N	T	S	C	G	T	R	O	U	A	P	R	O	L
D	B	E	A	D	A	R	R	Y	W	B	E	O	F	E
I	I	L	X	E	H	H	E	S	G	D	C	D	R	T
B	R	G	K	I	E	B	L	B	A	Y	S	I	T	O
A	D	A	S	N	R	E	K	C	E	P	D	O	O	W
S	Q	E	H	O	R	N	B	I	L	L	E	J	R	Y

17

B	H	C	I	R	D	L	A	E	A	V	P	E	C	J
H	O	P	N	E	K	C	P	E	O	K	E	V	G	N
E	Q	M	O	U	S	T	A	L	E	T	P	G	I	Y
A	W	B	C	V	O	K	D	A	L	G	A	C	N	E
H	R	U	S	C	R	J	O	H	K	D	O	C	E	Z
L	S	E	J	I	L	E	Z	L	O	L	U	I	O	Z
Q	O	P	I	B	O	U	T	W	L	K	R	G	K	I
U	T	T	L	C	F	B	R	S	T	I	R	Y	I	P
I	C	T	W	E	H	N	U	E	R	A	B	F	O	E
S	H	Y	O	C	H	E	N	D	M	O	A	A	P	F
T	E	Z	S	B	S	P	N	A	F	K	F	L	Y	E
Z	R	I	I	V	B	N	C	B	M	Y	E	L	E	N
K	R	A	B	B	E	A	D	I	A	U	Y	A	V	O
F	I	P	T	O	D	D	I	E	F	C	E	U	N	E
Y	E	N	G	R	Y	A	M	L	L	E	H	N	K	R

18

L	W	O	F	R	U	P	S	T	P	K	N	M	L	W
G	N	Z	L	W	O	F	A	E	P	C	A	A	I	O
I	Y	E	K	R	U	T	A	S	R	O	N	V	A	C
N	Q	N	L	A	W	C	T	U	A	C	A	L	U	T
U	E	N	R	M	O	A	I	O	I	W	P	W	Q	I
P	K	G	A	C	T	I	I	R	R	O	O	O	J	Y
Y	U	N	K	C	N	A	U	G	I	N	G	F	E	L
S	W	O	S	S	A	R	U	C	E	S	A	A	D	W
O	Y	J	Y	I	X	L	D	C	C	O	R	E	O	O
T	E	W	T	N	A	S	A	E	H	P	T	N	P	F
M	L	L	Y	B	O	B	W	H	I	T	E	I	A	B
T	K	C	A	B	E	R	I	F	C	B	X	U	G	U
P	T	A	R	M	I	G	A	N	K	A	W	G	E	R
N	I	L	O	C	N	A	R	F	E	O	H	I	M	C
P	A	R	T	R	I	D	G	E	N	R	Y	C	G	S

Solutions

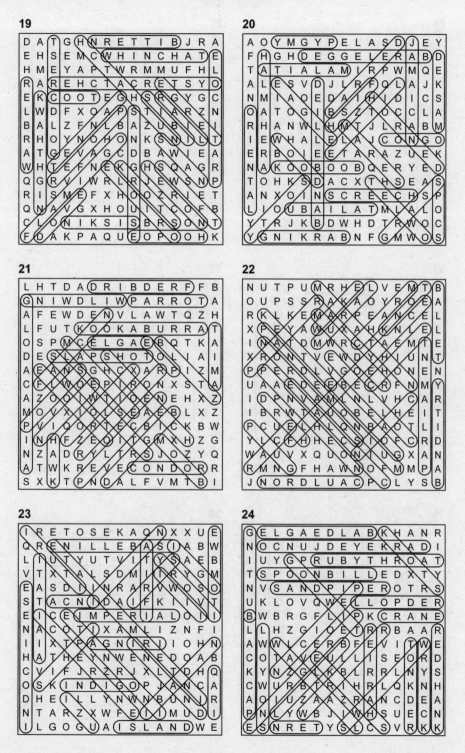

19

D	A	T	G	H	N	R	E	T	T	I	B	J	R	A
E	H	S	E	M	C	W	H	I	N	C	H	A	T	E
H	M	E	Y	A	P	T	W	R	M	M	U	F	H	L
R	A	R	E	H	C	T	A	C	R	E	T	S	Y	O
E	K	C	O	O	T	E	G	H	S	R	G	Y	G	C
L	W	D	F	X	O	A	P	S	T	I	A	R	Z	N
B	A	L	Z	F	N	L	B	A	Z	U	B	I	E	I
R	H	O	Y	N	O	H	O	N	K	S	N	I	L	T
A	T	G	E	V	A	G	C	D	B	A	W	I	E	A
W	H	T	E	F	N	E	K	G	H	S	Q	A	G	R
Q	G	R	V	I	W	R	L	R	J	E	W	S	N	P
R	I	S	M	E	F	X	H	O	O	Z	R	I	E	T
Q	N	A	V	G	X	H	O	U	I	T	C	O	F	B
C	L	O	N	I	K	S	I	S	B	R	S	O	N	T
F	D	A	K	P	A	Q	U	E	O	P	O	O	H	K

20

A	O	Y	M	G	Y	P	E	L	A	S	D	J	E	Y
F	H	G	H	D	E	G	G	E	L	E	R	A	B	D
T	A	T	I	A	L	A	M	I	R	P	W	M	Q	E
A	L	E	S	V	D	J	L	R	F	Q	L	A	J	K
N	M	I	A	O	E	D	A	I	H	I	D	I	C	S
O	A	T	O	G	I	B	S	Z	T	O	C	C	L	A
R	H	A	N	W	L	H	M	T	J	L	R	A	B	M
I	E	W	H	A	L	E	L	A	J	C	O	N	G	O
E	R	B	O	I	E	E	T	A	R	A	Z	U	E	K
N	A	K	O	O	B	O	O	B	Q	E	R	Y	E	D
T	O	H	K	S	D	A	C	X	T	H	S	E	A	S
A	N	X	O	I	N	S	C	R	E	E	C	H	S	P
L	I	O	U	B	A	I	L	A	T	M	L	A	L	O
Y	T	R	J	K	B	D	W	H	D	T	R	W	O	C
Y	G	N	I	K	R	A	B	N	F	G	M	W	O	S

21

L	H	T	D	A	D	R	I	B	D	E	R	F	F	B
G	N	I	W	D	L	I	W	P	A	R	R	O	T	A
A	F	E	W	D	E	N	V	L	A	W	T	Q	Z	H
L	F	U	T	K	O	O	K	A	B	U	R	R	A	T
O	S	P	M	C	E	L	G	A	E	B	Q	T	K	A
D	E	S	L	A	P	S	H	O	T	O	L	I	A	I
A	E	A	N	S	G	H	C	X	A	R	P	I	Z	M
C	F	L	W	O	E	P	I	R	O	N	X	S	T	A
A	Z	O	O	I	W	T	I	O	E	N	E	H	X	Z
M	O	V	X	I	O	L	S	E	A	E	B	L	X	Z
P	V	I	Q	O	R	T	E	C	B	I	C	K	B	W
I	N	H	F	Z	E	O	I	T	G	M	X	H	Z	G
N	Z	A	D	R	Y	L	T	R	S	J	O	Z	Y	Q
A	T	W	K	R	E	V	E	C	O	N	D	O	R	R
S	X	K	T	P	N	D	A	L	F	V	M	T	B	I

22

N	U	T	P	U	M	R	H	E	L	V	E	M	T	B
O	U	P	S	S	R	A	K	A	O	Y	R	O	E	A
R	K	L	K	E	M	A	R	P	E	A	N	C	E	L
X	P	E	Y	A	W	U	X	A	H	K	N	L	E	L
I	N	A	T	D	M	W	R	C	T	A	E	M	T	E
X	R	O	N	T	V	E	W	D	Y	H	I	U	N	T
P	P	E	R	D	L	V	G	O	E	H	O	N	E	N
U	A	A	E	D	E	E	B	E	C	R	F	N	M	Y
I	D	P	N	V	A	M	L	N	L	V	H	C	A	R
I	B	R	W	T	A	U	O	B	E	L	H	E	I	T
P	C	U	E	L	H	L	Q	N	B	A	O	T	L	I
Y	L	C	F	H	H	E	C	S	I	O	F	C	R	D
W	A	U	V	X	Q	U	O	N	I	U	G	X	A	N
R	M	N	G	F	H	A	W	N	O	F	M	M	P	A
J	N	O	R	D	L	U	A	C	P	C	L	Y	S	B

23

I	R	E	T	O	S	E	K	A	Q	N	X	X	U	E
Q	R	E	N	I	L	L	E	B	A	S	I	A	B	W
L	I	U	T	Y	U	T	V	I	T	Y	S	A	E	B
V	T	X	T	A	L	S	D	M	I	I	R	Y	G	M
E	A	S	D	I	I	N	R	A	R	V	W	O	S	O
S	T	A	C	N	I	D	A	I	F	K	I	I	V	T
E	I	C	E	I	M	P	E	R	I	A	L	O	I	I
N	A	C	O	T	I	X	A	M	L	I	Z	N	F	I
I	I	X	T	P	A	G	N	I	R	I	I	O	H	N
H	A	T	H	E	Y	N	W	E	N	E	D	O	A	B
C	V	I	F	J	R	Z	R	J	X	L	T	D	H	Q
O	S	K	I	N	D	I	G	O	P	J	A	N	C	A
D	H	E	I	L	L	Y	N	W	N	B	U	N	I	R
N	T	A	R	Z	X	W	F	E	I	I	M	U	D	I
I	L	G	O	G	U	A	I	S	L	A	N	D	W	E

24

G	E	L	G	A	E	D	L	A	B	K	H	A	N	R
N	O	C	N	U	J	D	E	Y	E	K	R	A	D	I
I	U	Y	G	P	R	U	B	Y	T	H	R	O	A	T
T	S	P	O	O	N	B	I	L	L	E	D	X	T	Y
N	V	S	A	N	D	P	I	P	E	R	O	T	R	S
U	K	L	O	V	Q	W	E	L	L	O	P	D	E	R
B	W	B	R	G	F	L	I	P	K	C	R	A	N	E
L	L	H	Z	G	I	O	E	T	R	R	B	A	A	R
A	W	W	L	C	E	R	B	F	E	V	I	T	W	E
C	O	T	A	V	E	U	L	L	I	S	E	O	R	D
K	Y	N	Z	G	L	K	B	L	R	R	L	N	Y	S
C	W	U	R	B	T	R	I	H	R	L	Q	K	N	H
A	O	I	U	Z	A	A	Z	R	A	N	C	D	E	A
P	N	L	Y	W	B	J	I	W	H	S	U	E	C	N
E	S	N	R	E	T	Y	S	L	C	S	V	R	K	K

Solutions

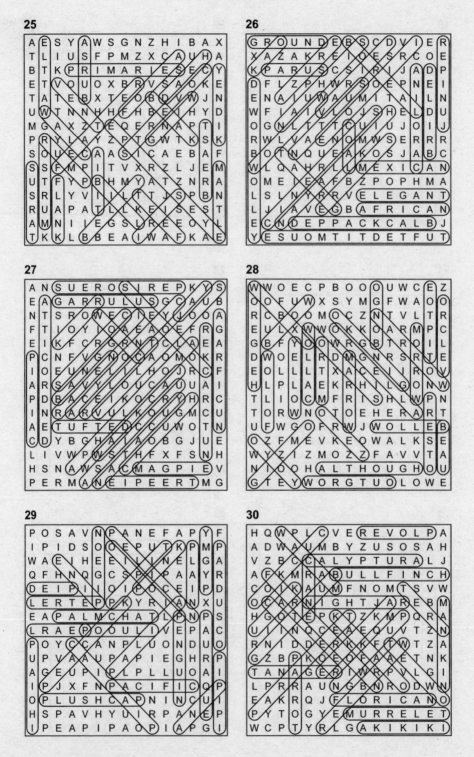

25

A	E	S	Y	A	W	S	G	N	Z	H	I	B	A	X
T	L	I	U	S	F	P	M	Z	X	C	A	U	H	A
B	T	K	P	R	I	M	A	R	I	E	S	E	C	Y
E	T	V	O	U	O	X	B	R	V	S	A	O	K	E
T	A	T	E	B	X	T	E	O	B	D	V	W	J	N
U	W	T	N	N	H	H	F	H	B	E	I	H	Y	D
M	G	A	X	Z	T	E	Q	E	R	N	A	P	T	I
P	R	Y	L	A	Y	Z	P	T	G	W	T	K	S	K
S	O	U	E	C	A	A	S	I	C	A	E	B	A	F
S	S	F	M	P	I	T	V	X	R	Z	L	J	E	M
U	T	F	Y	P	B	H	M	Y	A	T	Z	N	R	A
S	R	L	Y	V	I	I	L	T	T	J	S	P	B	N
R	U	A	P	A	T	L	L	K	E	I	S	E	S	T
A	M	N	I	I	E	G	S	L	R	E	E	O	Y	L
T	K	K	L	B	B	E	A	I	W	A	F	K	A	E

26

G	R	O	U	N	D	E	B	S	C	D	V	I	E	R
X	A	Z	A	K	R	E	I	O	E	S	R	C	O	E
K	P	A	R	U	S	C	S	I	R	I	J	A	D	P
D	F	L	Z	P	H	W	R	S	O	E	P	N	E	I
E	N	A	I	U	W	A	U	M	I	T	A	I	L	N
W	F	I	A	I	V	L	O	J	S	H	E	L	D	U
O	G	N	L	T	T	T	C	U	I	U	J	O	I	J
R	W	L	V	A	E	N	O	M	W	S	E	R	R	R
B	O	T	N	Q	U	E	A	K	O	S	J	A	B	C
W	L	Q	A	H	R	L	L	M	E	X	I	C	A	N
O	M	E	I	E	A	F	B	Z	P	O	P	H	M	A
L	S	L	N	Y	R	R	V	E	L	E	G	A	N	T
L	J	I	A	V	E	G	B	A	F	R	I	C	A	N
E	C	N	D	E	P	P	A	C	K	C	A	L	B	J
Y	E	S	U	O	M	T	I	T	D	E	T	F	U	T

27

A	N	S	U	E	R	O	S	I	R	E	P	K	Y	S
E	A	G	A	R	R	U	L	U	S	G	C	A	U	B
N	T	S	R	O	W	E	C	I	E	Y	J	O	O	A
F	T	I	O	Y	I	O	A	E	A	O	E	F	R	G
E	I	K	F	C	R	G	R	N	T	C	L	A	E	A
P	C	N	F	V	G	N	O	C	A	O	M	O	K	R
I	O	E	U	N	E	L	I	L	H	O	J	R	C	F
A	R	S	A	V	Y	L	O	U	C	A	U	U	A	I
P	D	B	A	C	E	I	K	O	C	R	Y	H	R	C
I	N	R	A	R	V	U	L	K	O	U	G	M	C	U
A	E	T	U	F	T	E	D	C	C	U	W	O	T	N
C	D	Y	B	G	H	A	I	A	O	B	G	J	U	E
L	I	V	W	P	W	S	T	H	F	X	F	S	N	H
H	S	N	A	W	S	A	C	M	A	G	P	I	E	V
P	E	R	M	A	N	E	I	P	E	E	R	T	M	G

28

W	W	O	E	C	P	B	O	O	O	U	W	C	E	Z
O	O	F	U	W	X	S	Y	M	G	F	W	A	O	O
R	C	B	O	O	M	O	C	Z	N	T	V	L	T	R
E	U	L	X	W	W	O	K	K	O	A	R	M	P	C
G	B	F	Y	O	O	W	R	G	B	T	R	O	I	L
D	W	O	E	L	R	D	M	G	N	R	S	R	T	E
E	O	L	L	L	T	X	A	C	E	I	I	R	O	V
H	L	P	L	A	E	K	R	H	I	L	G	O	N	W
T	L	I	O	C	M	F	R	I	S	H	L	W	P	N
T	O	R	W	N	O	T	O	E	H	E	R	A	R	T
U	F	W	G	O	F	R	W	J	W	O	L	L	E	B
O	Z	F	M	E	V	K	E	O	W	A	L	K	S	E
W	Y	Z	I	Z	M	O	Z	Z	F	A	V	V	T	A
N	I	O	O	H	A	L	T	H	O	U	G	H	O	U
G	T	E	Y	W	O	R	G	T	U	O	L	O	W	E

29

P	O	S	A	V	N	P	A	N	E	F	A	P	Y	F
I	P	I	D	S	O	O	E	P	U	T	K	P	M	P
W	A	E	I	H	E	E	I	L	I	N	E	L	G	A
Q	F	H	N	Q	G	C	S	P	I	P	A	A	Y	R
D	E	I	P	I	I	O	I	P	O	C	E	I	P	D
L	E	R	T	E	P	P	K	Y	R	I	A	N	X	U
E	A	P	A	L	M	C	H	A	T	L	P	N	P	S
L	R	A	E	P	O	O	U	L	I	V	E	P	A	C
P	O	Y	C	C	A	N	P	L	U	O	N	D	U	O
U	P	V	A	A	U	P	A	P	I	E	G	H	R	P
A	G	E	U	P	I	P	L	P	L	L	U	O	A	I
I	P	J	X	F	N	P	A	C	I	F	I	C	Q	P
O	P	L	U	S	H	C	A	P	N	I	N	C	U	I
H	S	P	A	V	H	Y	U	I	R	P	A	N	E	P
I	P	E	A	P	I	P	A	O	P	I	A	P	G	I

30

H	Q	W	P	L	C	V	E	R	E	V	O	L	P	A
A	D	W	A	U	M	B	Y	Z	U	S	O	S	A	H
V	Z	B	C	C	A	L	Y	P	T	U	R	A	L	J
A	F	K	M	R	A	B	U	L	L	F	I	N	C	H
C	O	I	K	A	U	M	F	N	O	M	T	S	V	W
O	C	A	R	N	I	G	H	T	J	A	R	E	B	M
H	G	O	T	E	P	K	T	Z	K	M	P	Q	R	A
U	I	I	N	Q	C	E	A	E	Q	U	V	T	Z	N
R	N	I	D	D	E	R	K	K	F	T	W	T	Z	A
G	Z	B	P	K	O	E	O	F	A	A	E	T	N	K
T	A	N	A	G	E	R	I	W	R	P	V	L	G	I
L	P	R	R	A	U	N	G	B	N	R	O	D	W	N
E	A	K	R	Q	J	F	L	O	R	I	C	A	N	O
P	Y	T	O	G	Y	E	M	U	R	R	E	L	E	T
W	C	P	T	Y	R	L	G	A	K	I	K	I	K	I

Solutions

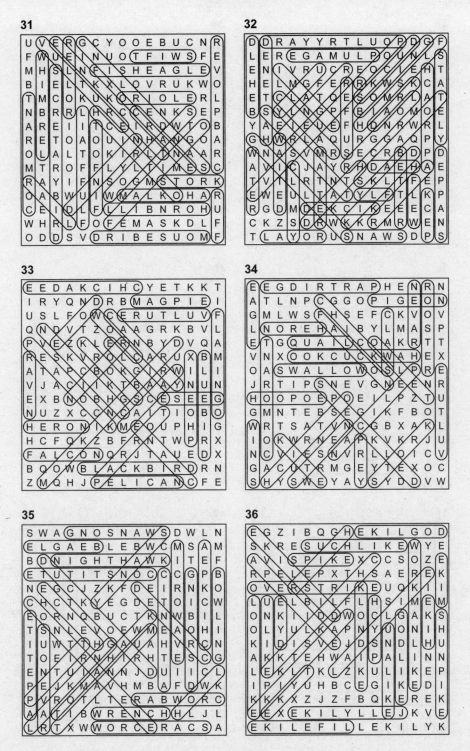

31

U	V	E	R	G	C	Y	O	O	E	B	U	C	N	R
F	W	U	E	I	N	U	O	T	F	I	W	S	F	E
M	H	S	L	N	F	I	S	H	E	A	G	L	E	V
B	I	E	L	T	K	X	L	O	V	R	U	K	W	O
T	M	C	O	K	U	K	O	R	I	O	L	E	R	L
N	B	R	R	L	H	R	C	C	E	N	K	S	E	P
A	R	E	I	I	T	C	E	I	R	D	W	T	O	B
R	E	T	O	A	O	U	I	N	H	A	N	G	O	A
O	L	A	L	T	O	K	I	R	L	T	N	A	A	R
M	T	R	O	F	F	L	Y	L	T	I	M	E	S	C
R	A	Y	I	F	N	S	O	G	M	S	T	O	R	K
O	A	B	W	U	I	W	M	A	L	K	O	H	A	R
C	E	I	D	L	F	L	L	I	B	N	R	O	H	U
W	H	R	L	F	O	F	E	M	A	S	K	D	L	F
O	D	D	S	V	D	R	I	B	E	S	U	O	M	F

32

D	D	R	A	Y	Y	R	T	L	U	O	P	D	G	F
L	E	R	E	G	A	M	U	L	P	O	U	N	L	S
E	N	I	V	R	U	C	R	E	O	C	I	E	H	T
H	E	L	M	G	F	E	R	R	K	W	S	K	C	A
E	T	C	L	A	T	Q	E	S	O	M	R	L	A	T
B	S	Y	L	N	G	P	F	B	I	A	O	M	O	E
Y	A	E	I	E	U	E	F	H	D	N	R	W	R	L
G	H	W	R	L	A	Q	U	R	G	G	A	Q	P	Y
W	N	A	S	V	M	R	S	E	C	R	B	D	P	D
A	V	I	C	J	A	Y	R	H	D	A	E	H	A	E
T	V	T	L	R	T	N	T	S	K	L	T	F	E	P
E	W	E	U	L	T	A	T	Y	L	F	T	L	K	P
R	G	D	M	D	E	K	C	I	K	E	E	E	C	A
C	K	Z	S	D	R	W	K	K	R	M	R	W	E	N
T	L	A	Y	O	R	U	S	N	A	W	S	D	P	S

33

E	E	D	A	K	C	I	H	C	Y	E	T	K	K	T
I	R	Y	Q	N	D	R	B	M	A	G	P	I	E	I
U	S	L	F	O	W	C	E	R	U	T	L	U	V	F
Q	N	D	V	T	Z	O	A	A	G	R	K	B	V	L
P	V	E	Z	K	L	E	R	N	B	Y	D	V	Q	A
R	E	S	K	V	R	O	L	C	A	R	U	X	B	M
A	T	A	P	C	B	O	K	G	I	R	W	I	L	I
V	J	A	C	I	I	K	T	B	A	A	Y	N	U	N
E	X	B	N	O	B	H	G	S	C	E	S	E	E	G
N	U	Z	X	C	C	N	C	A	I	T	I	O	B	O
H	E	R	O	N	I	K	M	E	O	U	P	H	I	G
H	C	F	Q	K	Z	B	F	R	N	T	W	P	R	X
F	A	L	C	O	N	Q	R	J	T	A	U	E	D	X
B	Q	O	W	B	L	A	C	K	B	I	R	D	R	N
Z	M	Q	H	J	P	E	L	I	C	A	N	C	F	E

34

E	E	G	D	I	R	T	R	A	P	H	E	N	R	N
A	T	L	N	P	C	G	G	O	P	I	G	E	O	N
G	M	L	W	S	F	H	S	E	F	C	K	V	O	V
L	N	O	R	E	H	A	I	B	Y	L	M	A	S	P
E	T	G	Q	U	A	I	L	C	O	A	K	R	T	T
V	N	X	O	O	K	C	U	C	K	W	A	H	E	X
O	A	S	W	A	L	L	O	W	O	S	L	P	R	E
J	R	T	I	P	S	N	E	V	G	N	E	E	N	R
H	O	O	P	O	E	P	O	E	I	L	P	Z	T	U
G	M	N	T	E	B	S	E	G	I	K	F	B	O	T
W	R	T	S	A	T	V	N	C	G	B	X	A	K	L
I	O	K	W	R	N	E	A	P	K	V	K	R	J	U
N	C	V	I	E	S	N	V	R	L	L	O	I	C	V
G	A	C	U	T	R	M	G	E	Y	T	E	X	O	C
S	H	Y	S	W	E	Y	A	Y	S	Y	D	D	V	W

35

S	W	A	G	N	O	S	N	A	W	S	D	W	L	N
E	L	G	A	E	B	L	E	B	W	C	M	S	A	M
B	D	N	I	G	H	T	H	A	W	K	I	T	E	F
E	T	U	T	I	T	S	N	O	C	C	C	G	P	B
N	E	G	C	J	Z	K	F	D	E	I	R	N	K	O
C	H	C	T	K	Y	E	G	D	E	T	O	I	C	W
E	O	R	N	Q	B	U	C	T	K	N	W	B	I	L
T	S	N	L	E	V	O	E	W	M	E	A	O	H	I
I	U	W	T	T	H	G	A	U	A	H	V	R	C	N
T	O	E	I	R	N	H	I	R	H	T	E	S	C	G
E	N	T	U	I	A	N	N	J	D	U	I	I	C	L
P	E	J	K	M	A	V	H	M	B	A	F	D	W	K
P	V	R	O	T	L	T	E	R	A	B	W	O	R	C
A	A	T	I	B	W	R	E	N	C	H	H	L	J	L
L	R	T	X	W	W	O	R	C	E	R	A	C	S	A

36

E	G	Z	I	B	Q	G	H	E	K	I	L	G	O	D
S	K	R	E	S	U	C	H	L	I	K	E	W	Y	E
A	V	I	S	P	I	K	E	X	C	C	S	O	Z	E
R	P	E	L	E	P	X	T	H	S	A	E	R	E	K
O	V	E	R	S	T	R	I	K	E	U	Q	K	I	I
L	U	E	L	B	I	L	F	L	H	S	I	M	E	M
O	N	K	I	I	D	D	W	O	C	L	G	A	K	S
O	L	Y	U	L	K	A	P	N	Y	U	O	N	I	H
K	I	D	I	S	V	E	J	D	S	N	D	L	H	U
A	K	K	T	E	H	W	A	I	P	A	L	I	N	N
L	E	K	L	T	K	L	Z	K	U	L	I	K	E	P
I	P	I	Y	U	H	B	C	E	G	I	K	E	D	I
K	K	K	X	Z	J	Z	F	B	Q	K	E	R	E	K
E	E	X	E	K	I	L	Y	L	L	E	J	K	V	E
E	K	I	L	E	F	I	L	L	E	K	I	L	Y	K

Solutions

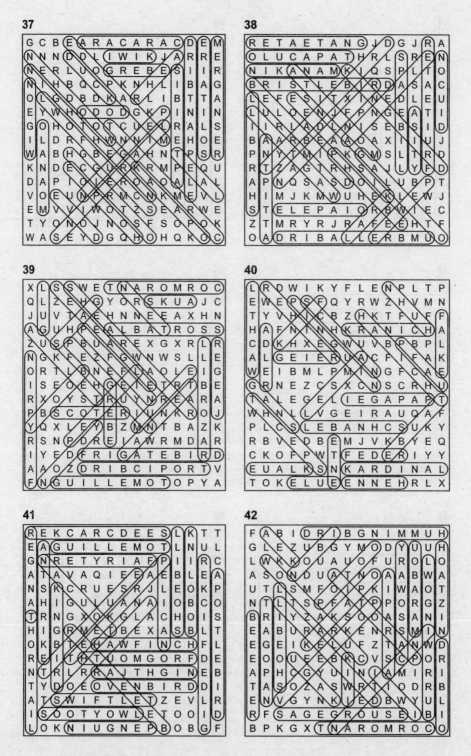

37

G	C	B	E	A	R	A	C	A	R	A	C	D	E	M
N	N	N	D	D	L	I	W	I	K	J	A	R	R	E
N	E	R	L	U	O	G	R	E	B	E	S	I	I	R
N	I	H	B	Q	C	P	K	N	H	L	I	B	A	G
O	L	G	D	B	D	K	A	R	L	I	B	T	T	A
E	Y	W	H	O	D	O	D	G	K	P	I	N	I	N
G	O	H	O	T	O	T	C	U	E	L	R	A	L	S
I	L	D	R	F	H	W	N	N	I	M	E	H	O	E
W	A	B	H	G	B	E	G	A	H	N	T	P	S	R
K	N	D	E	C	G	U	R	K	R	M	P	E	Q	U
D	A	P	I	O	I	E	R	O	A	O	A	L	A	L
V	O	E	U	N	P	R	M	C	N	K	M	E	V	L
E	M	V	V	I	W	O	T	Z	S	E	A	R	W	E
T	Y	O	N	O	J	N	O	S	F	S	O	P	O	K
W	A	S	E	Y	D	G	Q	H	O	H	Q	K	O	C

38

R	E	T	A	E	T	A	N	G	J	D	G	J	R	A
O	L	U	C	A	P	A	T	H	R	L	S	R	E	N
N	I	K	A	N	A	M	K	I	Q	S	P	L	T	O
B	R	I	S	T	L	E	B	I	R	D	A	S	A	C
L	E	F	E	S	I	T	X	I	N	E	D	L	E	U
L	U	L	O	E	N	J	F	P	N	G	E	A	T	I
I	I	R	L	A	D	L	N	I	S	E	B	S	I	D
B	A	A	R	B	E	A	A	O	A	X	I	I	U	J
P	N	Y	T	M	I	P	K	G	M	S	L	T	R	D
R	T	Z	A	G	T	R	H	S	A	J	L	Y	F	D
A	P	N	Q	S	A	S	D	O	I	L	U	B	P	T
H	I	M	J	K	M	W	U	H	E	K	L	E	W	J
S	T	E	L	E	P	A	I	O	R	B	W	I	E	C
Z	T	M	R	Y	R	J	R	A	F	E	E	H	T	F
O	A	D	R	I	B	A	L	L	E	R	B	M	U	O

39

X	L	S	S	W	E	T	N	A	R	O	M	R	O	C
Q	L	Z	E	H	G	Y	O	R	S	K	U	A	J	C
J	U	V	T	A	E	H	N	N	E	E	A	X	H	N
A	G	U	H	P	E	A	L	B	A	T	R	O	S	S
Z	U	S	P	B	U	A	R	E	X	G	X	R	L	R
N	G	K	F	E	Z	F	G	W	N	W	S	L	L	E
O	R	T	L	B	N	E	F	L	A	O	L	E	I	G
I	S	E	O	E	H	G	E	I	E	T	R	T	B	E
R	X	O	Y	S	T	R	U	Y	N	R	E	A	R	A
P	B	S	C	O	T	E	R	I	U	N	K	R	O	J
Y	Q	X	L	E	Y	B	Z	M	N	T	B	A	Z	K
R	S	N	P	D	R	E	I	A	W	R	M	D	A	R
I	Y	E	D	F	R	I	G	A	T	E	B	I	R	D
A	A	O	Z	D	R	I	B	C	I	P	O	R	T	V
F	N	G	U	I	L	L	E	M	O	T	O	P	Y	A

40

L	R	D	W	I	K	Y	F	L	E	N	P	L	T	P
E	W	E	P	S	F	Q	Y	R	W	Z	H	V	M	N
T	Y	V	H	I	C	B	Z	H	K	T	F	U	F	F
H	A	F	N	I	N	H	K	R	A	N	I	C	H	A
C	D	K	H	X	E	G	W	U	V	B	P	B	P	L
A	L	G	E	I	E	R	U	A	C	F	I	F	A	K
W	E	I	B	M	L	P	M	I	N	G	F	C	A	E
G	R	N	E	Z	C	S	X	C	N	S	C	R	H	U
T	A	L	E	G	E	L	I	E	G	A	P	A	P	T
W	H	N	L	L	V	G	E	I	R	A	U	Q	A	F
P	L	C	S	L	E	B	A	N	H	C	S	U	K	Y
R	B	V	E	D	B	E	M	J	V	K	B	Y	E	Q
C	K	O	F	P	W	T	F	E	D	E	R	I	Y	Y
E	U	A	L	K	S	N	K	A	R	D	I	N	A	L
T	O	K	E	L	U	E	E	N	N	E	H	R	L	X

41

R	E	K	C	A	R	C	D	E	E	S	L	K	T	T
E	A	G	U	I	L	L	E	M	O	T	L	N	U	L
G	N	R	E	T	Y	R	I	A	F	P	I	I	R	C
A	T	A	V	A	Q	I	E	E	A	E	B	L	E	A
N	S	K	C	R	U	E	S	R	J	L	E	O	K	P
A	H	I	G	U	L	U	A	N	A	I	O	B	C	O
T	R	N	G	X	O	K	G	L	A	C	H	O	I	S
H	I	G	R	M	E	T	B	E	X	A	S	B	L	T
O	K	B	T	E	H	A	W	F	I	N	C	H	F	L
R	E	I	T	H	T	U	O	M	G	O	R	F	D	E
N	T	R	L	R	R	A	J	T	H	G	I	N	E	B
T	Y	D	O	E	O	V	E	N	B	I	R	D	D	I
A	T	S	W	I	F	T	L	E	T	Z	E	V	L	R
I	S	O	O	T	Y	O	W	L	E	T	O	O	I	D
L	O	K	N	I	U	G	N	E	P	B	O	B	G	F

42

F	A	B	I	D	R	I	B	G	N	I	M	M	U	H
G	L	E	Z	U	B	G	Y	M	O	D	Y	U	U	H
L	W	K	K	O	U	A	U	O	F	U	R	O	L	O
A	S	O	N	D	U	A	T	N	O	A	A	B	W	A
U	T	L	S	M	F	O	I	P	K	I	W	A	O	T
N	T	L	T	S	P	F	A	T	P	P	O	R	G	Z
B	R	I	Y	Z	A	K	S	O	O	A	S	A	N	I
E	A	B	U	R	A	R	K	E	N	R	S	M	I	N
E	G	E	I	K	E	L	U	F	Z	T	A	N	W	D
E	O	O	U	E	E	B	K	C	V	S	C	P	O	R
A	P	H	C	G	Y	U	I	N	I	A	M	I	R	I
T	A	S	O	Z	A	S	W	R	T	I	O	D	R	B
E	N	V	G	Y	N	K	I	E	D	B	W	Y	U	L
R	F	S	A	G	E	G	R	O	U	S	E	I	B	I
B	P	K	G	X	T	N	A	R	O	M	R	O	C	O

Solutions

43

G	U	G	R	A	F	O	Y	G	E	M	B	R	U	G
U	I	O	L	T	O	G	G	O	S	H	A	W	K	I
G	I	O	A	T	A	R	Y	U	B	N	L	J	U	M
A	R	S	N	G	J	E	W	G	A	L	A	H	G	B
R	Y	E	G	E	V	E	R	H	G	A	B	E	L	A
G	G	T	B	U	O	N	S	G	E	N	G	A	A	G
A	V	G	R	E	A	G	L	O	W	I	N	G	U	O
R	A	M	S	G	N	I	L	S	O	G	H	I	C	A
G	O	L	D	E	N	F	A	C	E	T	L	L	O	L
A	G	R	J	O	I	G	M	B	A	L	G	D	U	A
N	L	G	I	M	I	M	S	I	E	O	O	E	S	D
E	O	A	L	A	V	G	L	M	Y	R	R	D	D	N
Y	S	Z	N	L	E	O	O	X	M	E	O	U	A	A
V	S	T	R	I	G	T	E	N	R	A	G	T	E	R
N	Y	G	C	A	T	E	N	N	A	G	E	N	E	G

44

D	R	I	B	E	L	T	S	I	R	B	P	Z	K	Y
F	R	E	N	I	M	L	L	E	B	I	R	D	I	A
B	D	J	Q	Y	Q	L	L	O	R	E	N	R	O	H
I	R	N	I	B	O	R	I	R	T	G	Z	I	I	N
F	I	G	B	I	R	D	B	A	P	L	X	B	E	X
E	B	S	R	E	P	E	E	R	C	E	E	R	T	S
U	R	T	G	A	L	Y	N	D	N	W	W	A	R	E
C	E	I	C	R	E	B	I	O	S	T	H	I	A	D
A	W	T	Z	N	A	F	P	L	N	C	F	R	Y	O
T	O	C	O	W	S	S	S	A	V	I	U	F	A	L
B	B	H	C	A	N	A	S	T	E	R	O	A	D	C
I	R	B	A	D	R	I	B	W	O	C	O	B	I	N
R	D	I	F	A	I	R	Y	W	R	E	N	T	T	I
D	D	R	I	B	E	R	Y	L	I	E	R	U	O	C
Q	C	D	S	D	Y	L	I	A	T	E	N	I	P	S

45

R	E	D	B	I	R	D	S	N	I	U	G	N	E	P
S	L	L	U	G	A	E	S	N	A	C	I	L	E	P
S	N	E	V	A	R	N	C	A	N	A	R	I	E	S
E	S	D	A	Q	A	S	Y	A	J	E	U	L	B	H
S	V	E	S	W	H	S	K	W	A	H	A	E	S	R
S	W	C	S	D	K	S	P	S	E	N	I	B	O	R
E	K	V	S	C	R	E	E	J	P	K	E	B	Y	F
I	O	O	U	N	A	I	D	L	A	T	I	O	C	A
P	H	D	O	C	O	O	B	K	G	N	A	R	F	L
G	R	C	O	R	I	O	L	E	S	A	O	M	I	C
A	T	C	I	K	V	I	L	T	U	W	E	K	L	O
M	K	Z	X	U	G	Z	L	M	S	L	Q	A	W	N
S	T	E	E	K	A	R	A	P	I	R	B	L	E	S
U	Y	B	L	A	C	K	H	A	W	K	S	F	C	S
L	S	Y	B	D	S	R	E	T	S	O	O	R	Y	B

46

J	C	A	R	Z	L	P	O	A	E	M	S	P	K	Q
T	E	Z	N	E	M	R	H	Q	K	V	G	T	W	U
F	G	S	S	S	N	P	A	O	P	I	O	N	A	O
I	C	M	P	S	W	O	E	Q	E	Y	T	D	H	S
W	A	R	R	A	P	A	R	A	X	N	M	J	I	D
S	W	S	A	F	R	W	L	F	C	L	I	K	A	F
H	E	R	O	N	V	R	X	L	E	O	O	X	U	U
A	G	N	R	K	E	E	O	R	O	R	C	R	E	H
F	D	M	X	R	O	N	E	W	A	W	A	K	V	R
A	I	V	A	G	I	L	F	Y	K	P	M	H	E	E
D	R	N	G	R	W	U	S	E	P	I	G	Z	A	V
L	T	E	C	O	T	P	N	W	I	D	G	E	F	L
E	R	E	F	H	F	I	W	E	A	V	E	R	P	U
R	A	Y	A	L	T	B	N	D	Y	N	N	T	I	C
F	P	E	K	C	O	C	D	O	O	W	E	N	T	E

47

K	C	U	K	C	U	B	H	S	U	B	V	Z	K	K
C	I	A	U	P	A	W	E	S	T	R	U	C	K	C
U	Z	E	P	O	C	H	W	U	J	P	U	V	T	U
Z	Y	K	H	T	V	Z	A	C	E	L	G	H	P	L
S	K	C	O	L	L	I	H	K	D	S	U	A	H	P
T	R	U	M	U	R	D	T	O	F	N	D	K	I	P
A	O	B	L	C	Y	Z	O	M	D	D	C	T	U	U
R	E	A	R	K	U	G	C	E	O	U	C	C	K	N
S	B	G	D	Z	C	P	R	C	H	B	K	Y	C	S
T	U	E	F	R	K	S	K	C	U	H	S	U	U	T
R	C	M	S	G	T	O	K	C	U	T	R	Y	L	U
U	K	C	U	R	T	P	U	K	C	I	P	Z	C	C
C	O	C	U	Y	O	U	N	G	B	U	C	K	N	K
K	G	C	U	D	U	M	B	S	T	R	U	C	K	Q
S	K	G	E	M	K	C	U	R	T	S	N	O	O	M

48

X	T	E	R	S	W	A	M	P	H	E	N	W	K	O
B	N	L	E	C	W	E	D	O	P	A	G	E	M	O
F	O	P	K	T	R	A	S	E	W	F	N	G	L	T
A	G	Z	C	W	N	O	L	J	S	N	I	D	L	A
L	N	W	E	A	S	N	C	L	J	S	T	I	W	K
C	I	L	P	R	F	P	O	K	O	G	N	R	O	C
O	M	I	X	B	E	F	O	O	H	W	U	T	E	O
N	A	A	O	L	R	N	T	O	E	O	B	R	L	C
E	L	R	Y	E	U	Y	N	B	N	O	P	A	G	A
T	F	E	D	R	T	W	E	U	S	B	T	P	A	N
I	Q	P	O	E	L	Q	G	P	R	J	I	W	E	A
K	Z	I	R	B	U	T	R	J	H	D	M	L	A	R
D	O	N	L	O	V	E	B	I	R	D	A	F	L	I
E	G	S	M	E	Y	T	E	E	K	I	R	O	L	E
R	E	H	C	T	A	C	R	E	T	S	Y	O	R	S

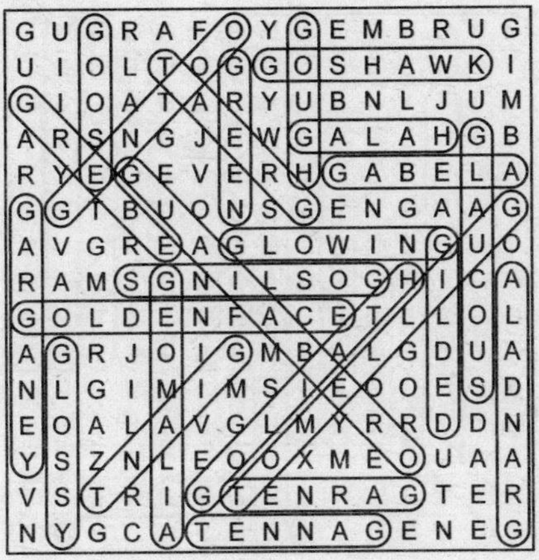

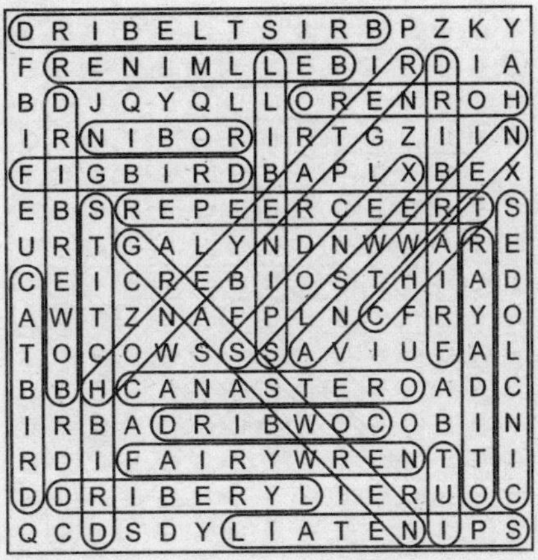

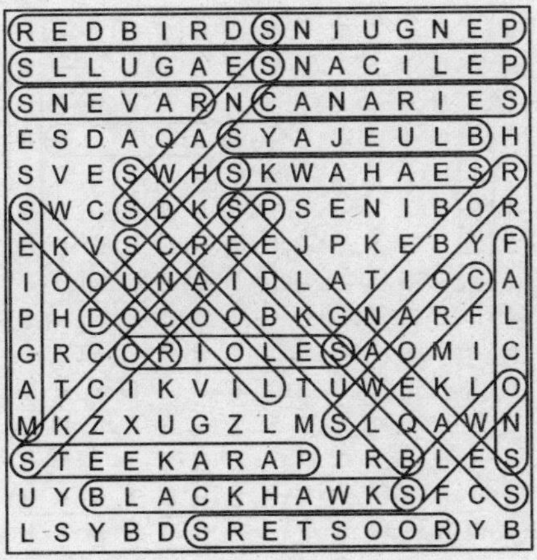

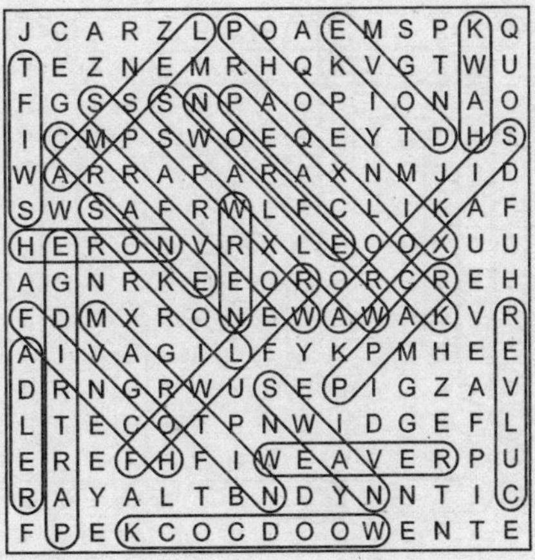

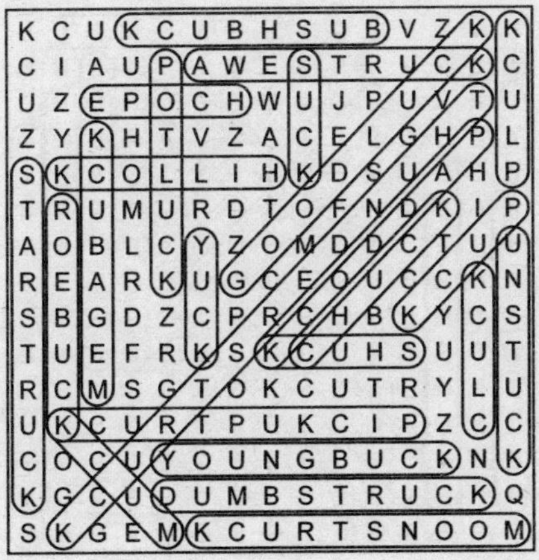

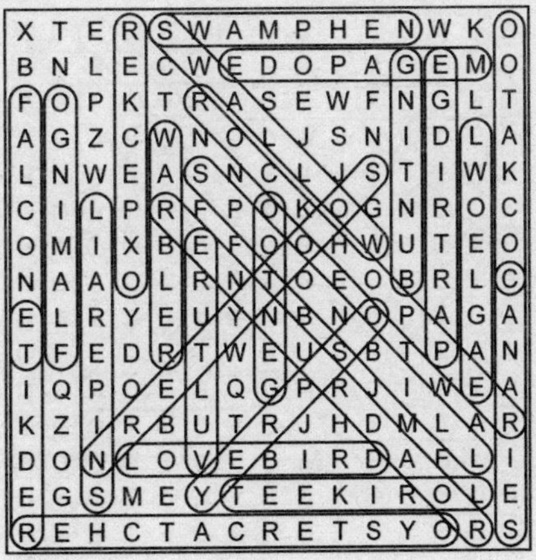

Solutions

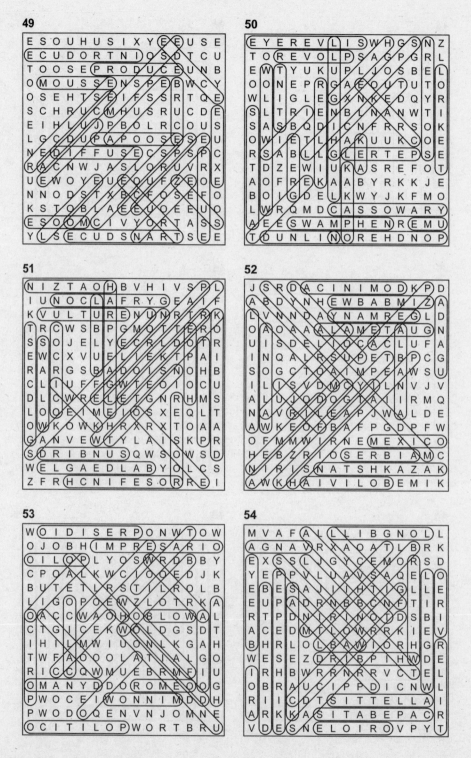

49

E	S	O	U	H	U	S	I	X	Y	E	E	U	S	E
E	C	U	D	O	R	T	N	I	O	S	D	T	C	U
T	O	O	S	E	P	R	O	D	U	C	E	U	N	B
O	M	O	U	S	S	E	N	S	P	E	B	W	C	Y
O	S	E	H	T	S	E	I	F	S	S	R	T	Q	E
S	C	H	R	U	C	M	H	U	S	R	U	C	D	E
E	I	H	L	U	J	P	B	O	L	R	C	O	U	S
L	G	C	D	U	P	A	P	O	O	S	E	S	E	U
N	E	D	I	F	F	U	S	E	C	S	P	S	P	C
R	A	C	N	W	J	A	S	L	O	R	U	V	R	X
U	E	W	O	Y	E	U	E	Q	U	F	Z	E	O	E
N	N	O	D	S	T	X	B	C	F	O	S	E	F	O
K	S	T	O	B	L	A	E	E	U	O	E	E	U	O
E	S	O	O	M	C	I	V	Y	O	R	T	A	S	S
Y	L	S	E	C	U	D	S	N	A	R	T	S	E	E

50

E	Y	E	R	E	V	L	I	S	W	H	G	S	N	Z
T	O	R	E	V	O	L	P	S	A	G	P	G	R	L
E	W	T	Y	U	K	U	P	L	J	O	S	B	E	L
O	O	N	E	P	R	G	A	E	O	U	T	U	T	O
W	L	I	G	L	E	G	X	N	K	E	D	Q	Y	R
S	L	T	R	I	E	N	B	L	N	A	N	W	T	I
S	A	S	B	Q	D	I	C	N	F	R	R	S	O	K
O	W	I	E	T	L	H	A	K	U	U	K	C	O	E
R	S	A	B	L	L	G	L	E	R	T	E	P	S	E
T	D	Z	E	W	I	U	K	A	S	R	E	F	O	T
A	O	F	R	E	K	A	A	B	Y	R	K	K	J	E
B	O	I	G	D	E	L	K	W	Y	J	K	F	M	O
L	W	R	Q	M	D	C	A	S	S	O	W	A	R	Y
A	E	E	S	W	A	M	P	H	E	N	R	E	M	U
T	D	U	N	L	I	N	O	R	E	H	D	N	O	P

51

N	I	Z	T	A	O	H	B	V	H	I	V	S	P	L
I	U	N	O	C	L	A	F	R	Y	G	E	A	I	F
K	V	U	L	T	U	R	E	N	U	N	R	T	R	K
T	R	C	W	S	B	P	G	M	O	T	T	E	R	O
S	S	O	J	E	L	Y	E	C	R	L	D	O	T	R
E	W	C	X	V	U	E	L	I	E	K	T	P	A	I
R	A	R	G	S	B	A	D	O	I	S	N	O	H	B
C	L	I	U	F	F	G	W	T	E	O	I	O	C	U
D	L	C	W	R	E	L	E	T	G	N	R	H	M	S
L	O	O	E	I	M	E	I	O	S	X	E	Q	L	T
O	W	K	O	W	K	H	R	X	R	X	T	O	A	A
G	A	N	V	E	W	T	Y	L	A	I	S	K	P	R
S	D	R	I	B	N	U	S	Q	W	S	O	W	S	D
W	E	L	G	A	E	D	L	A	B	Y	O	L	C	S
Z	F	R	H	C	N	I	F	E	S	O	R	R	E	I

52

J	S	R	D	A	C	I	N	I	M	O	D	K	P	D
A	B	D	Y	N	H	E	W	B	A	B	M	I	Z	A
L	V	N	N	D	A	Y	N	A	M	R	E	G	L	D
O	A	O	A	A	A	L	A	M	E	T	A	U	G	N
U	I	S	D	E	L	I	O	C	A	C	L	U	F	A
I	N	Q	A	L	R	S	U	P	E	T	B	P	C	G
S	O	G	C	T	O	A	I	M	P	E	A	W	S	U
I	L	I	S	V	D	M	C	Y	I	L	N	V	J	V
A	L	U	J	O	D	O	G	T	A	I	I	R	M	Q
N	A	V	R	I	L	E	A	P	J	W	A	L	D	E
A	W	K	E	O	F	B	A	F	P	G	D	P	F	W
O	F	M	M	W	I	R	N	E	M	E	X	I	C	O
H	E	B	Z	R	I	O	S	E	R	B	I	A	M	C
N	I	R	I	S	N	A	T	S	H	K	A	Z	A	K
A	W	K	H	A	I	V	I	L	O	B	E	M	I	K

53

W	O	I	D	I	S	E	R	P	O	N	W	T	O	W
O	J	O	B	H	I	M	P	R	E	S	A	R	I	O
O	I	L	O	P	L	Y	O	S	W	R	D	B	B	Y
C	P	O	A	L	K	W	C	I	O	O	E	D	J	K
B	U	T	E	T	L	R	S	T	I	L	R	O	L	B
L	I	G	O	P	O	E	W	Z	L	O	T	R	K	A
O	A	C	C	W	A	O	H	O	B	L	O	W	A	L
C	T	G	I	C	E	K	W	O	L	D	G	S	D	T
I	H	I	L	M	W	I	U	O	N	L	K	G	A	H
T	W	F	A	O	O	O	L	A	T	I	A	L	G	O
R	I	C	C	Q	W	M	U	E	B	R	M	F	I	U
O	M	A	N	Y	D	D	O	R	O	M	E	O	O	G
P	W	O	C	E	I	W	O	N	N	I	M	D	D	H
P	W	O	D	O	Q	E	N	V	N	J	O	M	N	E
O	C	I	T	I	L	O	P	W	O	R	T	B	R	U

54

M	V	A	F	A	L	L	L	I	B	G	N	O	L	L
A	G	N	A	V	R	X	A	O	A	T	L	B	R	K
E	X	S	S	L	J	G	Y	C	E	M	O	R	S	D
Y	E	P	P	V	L	U	A	V	S	A	Q	E	L	O
E	B	E	S	A	J	I	I	H	T	I	G	L	L	E
E	U	P	A	D	R	N	B	B	C	N	F	T	I	R
R	T	P	D	N	I	R	I	N	O	T	D	S	B	I
A	C	E	D	M	T	L	O	W	R	R	K	I	E	V
B	H	R	L	O	L	B	A	W	I	O	R	H	G	R
W	E	S	E	Z	D	R	I	B	P	I	H	W	D	E
I	R	H	B	W	R	R	N	R	R	V	C	T	E	L
O	B	R	A	U	C	I	P	P	D	I	C	N	W	L
R	I	I	C	D	T	S	I	T	T	E	L	L	A	I
A	R	K	K	A	S	I	T	A	B	E	P	A	C	R
V	D	E	S	N	E	L	O	I	R	O	V	P	Y	T

Solutions

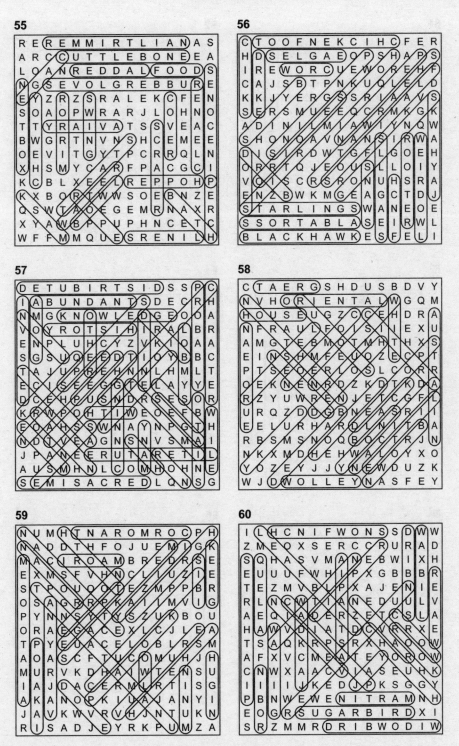

55

R	E	R	E	M	M	I	R	T	L	I	A	N	A	S
A	R	C	C	U	T	T	L	E	B	O	N	E	E	A
L	O	A	N	R	E	D	D	A	L	F	O	O	D	S
N	G	S	E	V	O	L	G	R	E	B	B	U	R	E
E	Y	Z	R	Z	S	R	A	L	E	K	C	F	E	N
S	O	A	O	P	W	R	A	R	J	L	O	H	N	O
T	T	Y	R	A	I	V	A	T	S	S	V	E	A	C
B	W	G	R	T	N	V	N	S	H	C	E	M	E	E
O	E	V	I	T	G	Y	T	P	C	R	R	Q	L	N
X	H	S	M	Y	C	A	R	F	P	A	C	G	C	I
K	C	B	L	X	E	E	L	R	E	P	P	O	H	P
K	X	B	O	R	T	W	W	S	O	E	B	N	Z	E
Q	S	W	T	A	O	E	G	E	M	R	N	A	X	R
X	Y	A	W	B	P	P	U	P	H	N	C	E	T	C
W	F	F	M	M	Q	U	E	S	R	E	N	I	L	H

56

C	T	O	O	F	N	E	K	C	I	H	C	F	E	R
H	D	S	E	L	G	A	E	O	P	S	H	A	P	S
I	R	E	W	O	R	C	U	E	W	O	R	E	H	F
C	A	J	S	B	T	P	N	K	U	Q	L	E	L	D
K	K	J	Y	E	R	G	S	S	R	I	A	A	V	S
S	E	R	S	M	U	E	E	Q	C	R	M	K	G	K
A	D	I	N	I	L	M	I	A	W	I	Y	N	Q	W
S	H	O	N	O	A	V	N	A	N	S	I	R	W	A
D	I	S	I	R	D	W	T	G	F	L	G	O	E	H
O	R	R	T	Q	J	E	O	U	S	L	L	O	I	Y
V	O	I	S	C	R	S	R	O	N	U	H	S	R	A
E	N	Z	B	W	K	M	G	E	A	G	C	T	D	J
S	T	A	R	L	I	N	G	S	W	A	N	E	O	E
S	S	O	R	T	A	B	L	A	S	E	I	R	W	L
B	L	A	C	K	H	A	W	K	E	S	F	E	L	I

57

D	E	T	U	B	I	R	T	S	I	D	S	S	P	C
I	A	B	U	N	D	A	N	T	S	D	E	C	R	H
N	M	G	K	N	O	W	L	E	D	G	E	O	O	A
V	O	Y	R	O	T	S	I	H	I	R	A	L	B	R
E	N	P	L	U	H	C	Y	Z	V	K	I	O	A	A
S	G	S	U	Q	E	E	D	T	I	O	Y	B	B	C
T	A	J	U	P	R	E	H	N	N	L	H	M	L	T
E	C	I	S	E	E	G	G	T	E	L	A	Y	Y	E
D	C	E	H	P	U	S	N	D	R	S	E	S	O	R
K	R	W	P	O	H	T	I	W	E	O	E	F	B	W
E	O	A	H	S	S	W	N	A	Y	N	P	G	T	H
N	D	T	V	E	A	G	N	S	N	V	S	M	A	I
J	P	A	N	E	E	R	U	T	A	R	E	T	I	L
A	U	S	M	H	N	L	C	O	M	H	O	H	N	E
S	E	M	I	S	A	C	R	E	D	L	Q	N	S	G

58

C	T	A	E	R	G	S	H	D	U	S	B	D	V	Y
N	V	H	O	R	I	E	N	T	A	L	W	G	Q	M
H	O	U	S	E	U	G	Z	C	C	E	H	D	R	A
N	F	R	A	U	L	F	O	I	S	I	I	E	X	U
A	M	G	T	E	B	M	O	T	M	H	T	H	X	S
E	I	N	S	H	M	F	E	U	O	Z	E	C	P	T
P	T	S	E	O	E	R	L	O	S	L	C	O	R	R
O	E	K	N	E	N	R	D	Z	K	D	T	K	D	A
R	Z	Y	U	W	R	E	N	J	E	T	C	G	F	L
U	R	Q	Z	D	D	G	B	N	E	A	S	R	I	I
E	E	L	U	R	H	A	R	D	L	N	I	T	B	A
R	B	S	M	S	N	O	Q	B	O	C	T	R	J	N
N	K	X	M	D	H	E	H	W	A	L	O	Y	X	O
Y	O	Z	E	Y	J	J	Y	N	E	W	D	U	Z	K
W	J	D	W	O	L	L	E	Y	N	A	S	F	E	Y

59

N	U	M	H	T	N	A	R	O	M	R	O	C	P	H
N	A	D	D	T	H	F	O	J	U	E	M	I	G	K
M	A	C	I	R	O	A	M	B	R	E	D	R	S	E
E	X	M	S	F	V	H	N	C	L	I	U	Z	I	E
S	T	P	O	U	O	O	T	E	Z	M	P	P	B	R
O	S	A	G	R	R	P	K	A	I	I	M	V	I	G
P	Y	N	N	S	Y	T	Y	S	Z	U	K	B	O	U
O	R	A	E	G	A	C	E	X	L	C	J	L	E	A
T	P	Y	E	U	A	C	E	L	O	B	L	R	S	M
A	O	A	S	C	F	T	U	C	O	M	U	H	J	H
M	U	R	V	K	D	H	A	I	W	T	E	N	S	U
I	A	J	D	A	C	E	R	M	L	R	T	I	S	G
A	K	A	N	O	P	K	I	U	A	J	A	N	Y	I
J	A	V	K	W	V	R	V	H	J	N	T	U	K	N
R	I	S	A	D	J	E	Y	R	K	P	U	M	Z	A

60

I	L	H	C	N	I	F	W	O	N	S	S	D	W	W
Z	M	E	O	X	S	E	R	C	C	R	U	R	A	D
S	Q	H	A	S	V	M	A	N	E	B	W	I	X	H
E	U	U	U	F	W	H	I	P	X	G	B	B	B	R
T	E	Z	M	V	B	L	P	X	A	J	E	N	I	E
R	L	N	C	W	T	I	A	N	E	D	U	U	L	V
A	E	Q	I	A	D	E	R	Z	E	T	C	S	L	A
H	A	W	V	D	I	A	T	D	C	V	R	R	X	E
T	S	A	Q	K	R	P	S	R	X	H	A	O	O	W
A	F	X	V	C	M	E	A	T	E	Y	O	R	O	W
C	N	W	X	A	A	C	V	I	A	S	E	U	H	K
I	I	I	I	J	K	E	D	J	P	K	S	G	G	Y
P	B	N	W	E	W	E	N	I	T	R	A	M	N	H
E	O	G	R	S	U	G	A	R	B	I	R	D	X	I
S	R	Z	M	M	R	D	R	I	B	W	O	D	I	W

Solutions

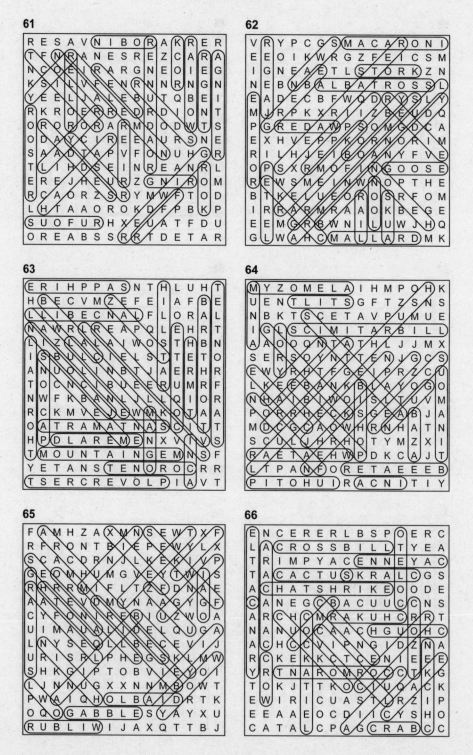

61

R	E	S	A	V	N	I	B	O	R	A	K	R	E	R
T	F	N	R	A	N	E	S	R	E	Z	C	A	R	A
N	C	O	E	I	R	A	R	G	N	E	O	I	E	G
K	S	I	L	V	F	E	N	R	N	N	R	N	G	N
Y	E	E	L	J	A	L	E	B	U	T	Q	B	E	I
R	K	R	O	E	R	R	E	D	R	D	I	O	N	T
O	R	O	R	O	R	A	R	M	D	O	D	W	T	S
O	D	A	Y	C	I	R	E	E	A	U	R	S	N	E
S	A	A	D	T	A	P	V	F	O	N	U	H	G	R
T	L	I	H	D	S	E	I	N	R	E	A	N	R	L
E	R	E	J	H	E	U	R	Z	G	N	I	R	O	M
R	C	A	O	R	Z	S	R	Y	M	W	F	T	O	D
L	H	T	A	A	O	R	O	K	D	F	P	B	K	P
S	U	O	F	U	R	H	X	E	U	A	T	F	D	U
O	R	E	A	B	S	S	R	R	T	D	E	T	A	R

62

V	R	Y	P	C	G	S	M	A	C	A	R	O	N	I
E	E	O	I	K	W	R	G	Z	F	E	I	C	S	M
I	G	N	E	A	E	T	L	S	T	O	R	K	Z	N
N	E	B	N	B	A	L	B	A	T	R	O	S	S	L
E	A	D	E	C	B	F	W	Q	D	R	Y	S	L	Y
M	J	R	P	K	X	R	I	I	Z	B	E	U	D	Q
P	G	R	E	D	A	W	P	S	O	M	G	D	C	A
E	X	H	V	E	P	P	K	O	R	N	O	R	I	M
R	I	L	H	J	E	I	B	O	A	N	Y	F	V	E
O	P	S	X	R	M	O	F	I	N	G	O	O	S	E
R	E	W	S	M	E	I	N	W	N	O	P	T	H	E
B	T	K	E	L	U	E	O	R	O	S	R	F	O	M
I	R	R	A	R	M	R	A	A	O	K	B	E	G	E
E	E	M	G	R	B	W	N	I	L	U	W	J	H	Q
G	L	W	A	H	C	M	A	L	L	A	R	D	M	K

63

E	R	I	H	P	P	A	S	N	T	H	L	U	H	T
H	B	E	C	V	M	Z	E	F	E	I	A	F	B	E
L	L	I	B	E	C	N	A	L	F	L	O	R	A	L
N	A	W	R	L	R	E	A	P	Q	L	E	H	R	T
L	I	Z	L	A	L	A	I	W	O	S	T	H	B	N
I	S	B	U	L	C	I	E	L	S	T	T	E	T	O
A	N	U	O	L	I	N	B	T	J	A	E	R	H	R
T	O	C	N	C	I	B	U	E	E	R	U	M	R	F
N	W	F	K	B	A	N	L	J	L	L	Q	I	O	R
R	C	K	M	V	E	J	E	W	M	K	O	T	A	A
O	A	T	R	A	M	A	T	N	A	S	C	I	T	T
H	P	D	L	A	R	E	M	E	N	X	V	I	V	S
T	M	O	U	N	T	A	I	N	G	E	M	N	S	F
Y	E	T	A	N	S	T	E	N	O	R	O	C	R	R
T	S	E	R	C	R	E	V	O	L	P	I	A	V	T

64

M	Y	Z	O	M	E	L	A	I	H	M	P	O	H	K
U	E	N	T	L	I	T	S	G	F	T	Z	S	N	S
N	B	K	T	S	C	E	T	A	V	P	U	M	U	E
I	G	L	S	C	I	M	I	T	A	R	B	I	L	L
A	A	O	O	Q	N	T	A	T	H	L	J	J	M	X
S	E	R	S	O	Y	N	T	T	E	N	J	G	C	S
E	W	Y	R	H	T	F	G	E	I	P	R	Z	C	U
L	K	E	E	B	A	N	K	B	L	A	Y	O	G	O
N	H	A	I	B	I	W	O	I	S	L	T	U	V	M
P	O	R	R	H	E	C	K	S	G	E	A	B	J	A
M	D	C	G	C	A	O	W	H	R	N	H	A	T	N
S	C	U	L	J	H	R	H	O	T	Y	M	Z	X	I
R	A	E	T	A	E	H	W	P	D	K	C	A	J	T
L	T	P	A	N	F	O	R	E	T	A	E	E	E	B
P	I	T	O	H	U	I	R	A	C	N	I	T	I	Y

65

F	A	M	H	Z	A	X	M	N	S	E	W	T	X	F
R	F	R	O	N	T	B	I	E	P	E	W	Y	L	X
S	C	A	C	D	R	N	J	L	K	E	K	I	V	P
G	E	O	M	H	U	M	G	V	E	Y	T	W	I	S
R	H	R	R	M	I	F	L	T	Z	F	D	N	A	E
A	A	T	E	V	D	M	Y	N	A	A	G	Y	G	F
C	Y	F	O	N	I	R	E	B	I	U	Z	W	O	A
U	I	M	A	U	A	L	I	D	E	L	Q	U	G	A
L	N	Y	S	E	Q	L	L	B	E	C	E	V	I	J
U	R	I	S	R	L	P	H	E	G	S	K	L	M	W
S	H	K	G	I	P	T	O	B	V	I	E	Y	O	I
L	J	N	N	U	G	X	X	N	N	M	B	O	W	T
P	W	A	I	Q	H	O	L	B	A	I	D	R	T	K
O	Q	O	G	A	B	B	L	E	S	Y	A	Y	X	U
R	U	B	L	I	W	I	J	A	X	Q	T	T	B	J

66

E	N	C	E	R	E	R	L	B	S	P	O	E	R	C
L	A	C	R	O	S	S	B	I	L	L	T	Y	E	A
T	R	I	M	P	Y	A	C	E	N	N	E	Y	A	C
T	A	C	A	C	T	U	S	K	R	A	L	C	G	S
A	C	H	A	T	S	H	R	I	K	E	O	O	D	E
C	A	N	E	G	C	B	A	C	U	U	C	C	N	S
A	R	C	H	C	M	R	A	K	U	H	C	R	R	T
N	A	N	U	O	C	A	A	C	H	G	U	O	H	C
A	C	H	C	C	V	I	P	N	G	I	D	Z	N	A
R	C	K	E	K	K	C	T	C	E	N	I	E	E	E
Y	R	T	N	A	R	O	M	R	O	C	C	T	K	G
T	O	K	J	T	T	K	O	C	I	U	Q	A	C	K
E	W	I	R	I	C	U	A	S	T	L	R	Z	I	P
E	E	A	A	E	O	C	D	I	I	C	Y	S	H	O
C	A	T	A	L	C	P	A	G	C	R	A	B	C	C

Solutions

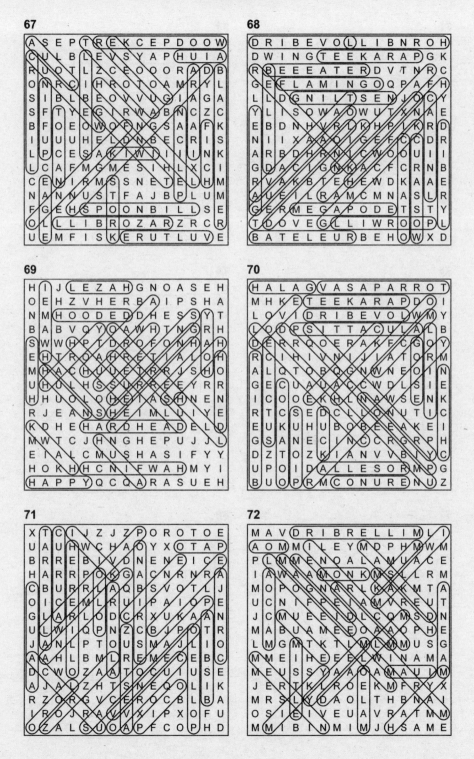

67

A	S	E	P	T	R	E	K	C	E	P	D	O	O	W
C	U	L	B	L	E	V	S	Y	A	P	H	U	I	A
R	U	O	T	L	Z	C	E	O	O	O	R	A	D	B
O	N	R	C	I	H	R	O	T	O	A	M	R	Y	L
S	I	B	L	B	E	O	V	V	U	G	I	A	G	A
S	F	T	Y	E	G	I	R	W	A	B	N	C	Z	C
B	F	O	E	O	W	O	F	N	G	S	A	A	F	K
I	U	U	U	H	E	L	D	N	B	E	C	R	I	S
L	P	C	E	S	A	K	I	W	I	I	I	I	N	K
L	C	A	F	M	G	M	E	S	I	H	L	X	C	I
C	E	N	I	R	M	S	S	N	E	T	E	L	H	M
N	A	N	N	U	S	T	F	A	J	B	P	L	U	M
F	G	E	H	S	P	O	O	N	B	I	L	L	S	E
O	L	L	L	I	B	R	O	Z	A	R	Z	R	C	R
U	E	M	F	I	S	K	E	R	U	T	L	U	V	E

68

D	R	I	B	E	V	O	L	L	I	B	N	R	O	H
D	W	I	N	G	T	E	E	K	A	R	A	P	G	K
R	B	E	E	E	A	T	E	R	D	V	T	N	R	C
G	E	F	L	A	M	I	N	G	O	Q	P	A	F	H
L	L	D	G	N	I	L	T	S	E	N	J	O	C	Y
Y	L	I	S	O	W	A	O	W	U	T	X	N	A	E
E	B	D	N	H	V	R	L	K	H	P	I	K	R	D
N	I	I	X	A	A	O	I	G	E	F	C	C	D	R
A	R	B	D	H	R	N	I	C	W	O	O	U	I	I
G	D	A	C	I	G	N	K	A	C	F	C	R	N	B
R	V	A	K	B	T	E	H	E	W	D	K	A	A	E
A	U	E	I	L	R	A	M	C	M	N	A	S	L	R
G	E	R	M	E	G	A	P	O	D	E	T	S	T	Y
T	D	O	V	E	G	L	L	I	W	R	O	O	P	L
B	A	T	E	L	E	U	R	B	E	H	O	W	X	D

69

H	I	J	L	E	Z	A	H	G	N	O	A	S	E	H
O	E	H	Z	V	H	E	R	B	A	I	P	S	H	A
N	M	H	O	O	D	E	D	D	H	E	S	S	Y	T
B	A	B	V	Q	Y	O	A	W	H	T	N	G	R	H
S	W	W	H	P	T	D	R	O	F	O	N	H	A	H
E	H	T	R	O	A	H	R	E	T	I	A	L	O	H
M	H	A	C	H	U	U	E	T	R	R	J	S	H	O
U	H	U	L	H	S	S	U	R	R	E	E	Y	R	R
H	H	U	O	L	O	H	E	I	A	S	H	N	E	N
R	J	E	A	N	S	H	E	I	M	L	U	I	Y	E
K	D	H	E	H	A	R	D	H	E	A	D	E	L	D
M	W	T	C	J	H	N	G	H	E	P	U	J	J	L
E	I	A	L	C	M	U	S	H	A	S	I	F	Y	Y
H	O	K	H	H	C	N	I	F	W	A	H	M	Y	I
H	A	P	P	Y	Q	C	Q	A	R	A	S	U	E	H

70

H	A	L	A	G	V	A	S	A	P	A	R	R	O	T
M	H	K	E	T	E	E	K	A	R	A	P	D	O	I
L	O	V	I	D	R	I	B	E	V	O	L	W	M	Y
L	O	D	P	S	I	T	T	A	C	U	L	A	L	B
D	E	R	R	Q	O	E	R	A	K	F	C	G	O	Y
R	C	I	H	I	V	N	I	J	I	A	T	O	R	M
A	L	Q	T	O	B	Q	G	N	W	N	E	O	I	N
G	E	C	U	A	U	A	C	C	W	D	L	S	I	E
I	C	O	O	E	K	H	L	N	A	W	S	E	N	K
R	T	C	S	E	D	C	L	L	O	N	U	T	I	C
E	U	K	U	H	U	B	O	B	E	E	A	K	E	I
G	S	A	N	E	C	I	N	C	C	R	G	R	P	H
D	Z	T	O	Z	K	I	A	N	V	V	B	I	Y	C
U	P	O	I	D	A	L	L	E	S	O	R	M	P	G
B	U	O	P	R	M	C	O	N	U	R	E	N	U	Z

71

X	T	C	I	J	Z	J	Z	P	O	R	O	T	O	E
U	A	U	H	W	C	H	A	O	Y	X	O	T	A	P
B	R	R	E	B	I	V	D	N	E	N	E	I	C	E
H	A	R	R	P	O	K	G	A	C	N	R	N	R	A
C	B	U	R	R	L	A	Q	B	S	V	O	T	L	J
O	I	C	E	M	L	R	U	I	P	A	I	O	P	E
G	L	A	R	L	O	D	C	R	X	U	K	A	A	N
U	L	W	I	Q	P	N	Z	C	B	J	P	O	T	R
J	A	N	L	P	T	O	U	S	M	A	J	L	I	O
A	A	H	L	B	M	L	R	E	M	E	C	E	B	C
D	C	W	O	Z	A	A	T	O	C	U	I	U	S	E
A	J	A	L	Z	H	T	S	N	E	Q	O	L	I	K
R	Z	O	R	G	V	C	E	R	O	C	B	L	B	A
I	R	O	J	R	A	V	V	X	I	P	X	O	F	U
O	Z	A	L	S	U	O	A	P	F	C	O	P	H	D

72

M	A	V	D	R	I	B	R	E	L	L	I	M	L	I
A	O	M	M	I	L	E	Y	M	D	P	H	M	W	M
P	L	M	M	E	N	O	A	L	A	M	U	A	C	E
I	A	W	A	A	M	O	N	K	M	S	L	L	R	M
M	O	P	O	G	N	A	R	L	K	A	K	M	T	A
U	C	N	I	F	P	E	I	A	M	V	R	E	U	T
J	C	M	U	E	E	I	D	L	C	O	M	S	D	N
M	A	B	U	A	M	E	E	O	A	A	O	P	H	E
L	M	G	M	T	K	T	L	M	L	M	M	U	S	G
M	M	E	I	H	E	E	E	L	W	I	N	A	M	A
M	E	U	S	S	Y	A	A	O	A	M	A	U	I	M
J	E	R	T	K	L	R	O	E	K	M	F	R	Y	X
M	R	S	L	Y	D	A	O	L	T	H	B	N	A	I
O	S	I	E	I	V	E	U	A	V	R	A	T	M	M
M	M	I	B	I	N	M	I	M	J	H	S	A	M	E

Solutions

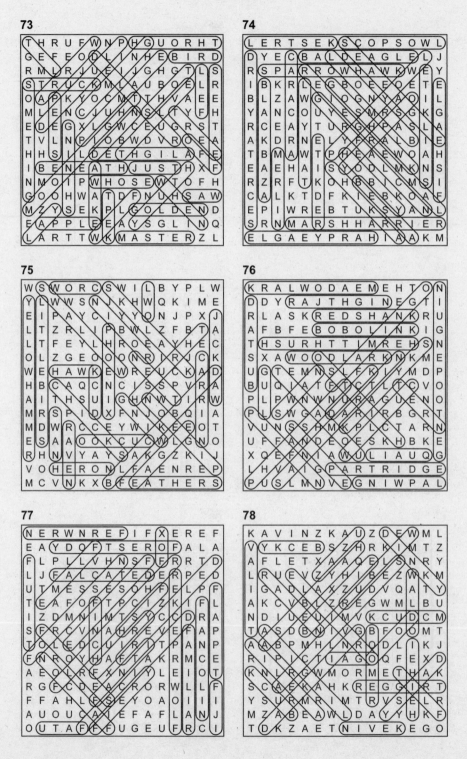

73

T	H	R	U	F	W	N	P	H	G	U	O	R	H	T
G	E	F	E	O	D	L	I	N	H	E	B	I	R	D
R	M	L	R	J	U	E	I	J	G	H	G	T	L	S
S	T	R	U	C	K	M	L	A	U	B	O	E	L	R
O	A	P	K	Y	O	C	M	T	T	H	V	A	E	E
M	L	E	N	C	J	U	H	N	S	L	T	Y	F	H
E	D	E	G	X	L	G	W	C	E	U	G	R	S	T
T	V	L	N	P	I	O	B	W	D	V	R	O	E	A
H	H	S	I	L	D	E	T	H	G	I	L	A	F	E
I	B	E	N	E	A	T	H	J	U	S	T	H	X	F
N	M	O	I	P	W	H	O	S	E	W	T	O	F	H
G	O	O	H	W	A	T	D	F	N	U	H	S	A	W
M	Z	Y	S	E	K	P	L	G	O	L	D	E	N	D
E	A	P	P	L	E	E	A	Y	S	G	L	I	N	Q
L	A	R	T	T	W	K	M	A	S	T	E	R	Z	L

74

L	E	R	T	S	E	K	S	C	O	P	S	O	W	L
D	Y	E	C	B	A	L	D	E	A	G	L	E	L	J
R	S	P	A	R	R	O	W	H	A	W	K	W	E	Y
I	B	K	R	L	E	G	B	O	E	E	O	E	T	E
B	L	Z	A	W	G	I	O	G	N	Y	A	O	I	L
Y	A	N	C	O	U	Y	E	S	M	R	S	G	K	G
R	C	E	A	Y	T	U	R	G	H	P	A	S	L	A
A	K	D	R	N	E	L	Y	F	R	A	L	B	I	E
T	B	M	A	W	T	P	H	E	A	E	W	O	A	H
E	A	E	H	A	I	S	Y	O	D	L	M	K	N	S
R	Z	R	F	T	K	O	H	B	B	I	C	M	S	I
C	A	L	K	T	D	F	K	I	E	B	K	O	A	F
E	P	I	W	R	E	B	T	U	K	S	Y	A	N	L
S	R	N	M	A	R	S	H	H	A	R	R	I	E	R
E	L	G	A	E	Y	P	R	A	H	I	A	A	K	M

75

W	S	W	O	R	C	S	W	I	L	B	Y	P	L	W
Y	L	W	W	S	N	J	K	H	W	Q	K	I	M	E
E	I	P	A	Y	C	I	Y	Y	O	N	J	P	X	J
L	T	Z	R	L	I	P	B	W	L	Z	F	B	T	A
L	T	F	E	Y	L	H	R	O	E	A	Y	H	E	C
O	L	Z	G	E	O	O	O	N	R	I	R	J	C	K
W	E	H	A	W	K	E	W	R	E	U	C	K	A	D
H	B	C	A	Q	C	N	C	I	S	S	P	V	R	A
A	I	T	H	S	U	I	G	H	N	W	T	I	R	W
M	R	S	P	I	D	X	F	N	J	O	B	Q	I	A
M	D	W	R	C	C	E	Y	W	I	K	E	E	O	T
E	S	A	A	O	O	K	C	U	C	W	L	G	N	O
R	H	N	V	Y	A	Y	S	A	K	G	Z	K	I	J
V	O	H	E	R	O	N	L	F	A	E	N	R	E	P
M	C	V	N	K	X	B	F	E	A	T	H	E	R	S

76

K	R	A	L	W	O	D	A	E	M	E	H	T	O	N
D	D	Y	R	A	J	T	H	G	I	N	E	G	T	I
R	L	A	S	K	R	E	D	S	H	A	N	K	R	U
A	F	B	F	E	B	O	B	O	L	I	N	K	I	G
T	H	S	U	R	H	T	T	I	M	R	E	H	S	N
S	X	A	W	O	O	D	L	A	R	K	N	K	M	E
U	G	T	E	M	N	S	L	F	K	I	Y	M	D	P
B	U	Q	I	A	T	F	T	C	T	L	T	C	V	O
P	L	P	W	N	W	N	U	R	A	G	U	E	N	O
P	L	S	W	G	A	D	A	R	I	R	B	G	R	T
V	U	N	S	S	H	M	K	P	L	C	T	A	R	N
U	F	F	A	N	D	E	O	E	S	K	H	B	K	E
X	Q	E	F	N	I	A	W	U	L	I	A	U	Q	G
L	H	V	A	I	G	P	A	R	T	R	I	D	G	E
P	U	S	L	M	N	V	E	G	N	I	W	P	A	L

77

N	E	R	W	N	R	E	F	I	F	X	E	R	E	F
E	A	Y	D	O	F	T	S	E	R	O	F	A	L	A
F	L	P	L	L	V	H	N	S	F	F	R	R	T	D
L	J	F	A	L	C	A	T	E	D	E	R	P	E	D
U	T	M	E	S	S	E	S	O	H	F	E	L	P	F
T	E	A	F	O	F	T	P	C	I	Z	K	I	F	L
I	Z	D	M	N	I	M	T	S	Y	C	C	D	R	A
S	F	R	C	V	N	A	H	R	E	V	E	F	A	P
T	O	L	E	D	C	U	I	R	I	T	P	A	N	P
F	N	R	O	Y	H	A	F	T	A	K	R	M	C	E
A	E	O	L	R	F	X	N	I	Y	L	E	I	O	T
R	G	F	C	D	E	A	C	R	O	R	W	L	L	F
F	F	A	H	L	F	S	E	Y	O	A	O	I	I	I
A	U	O	U	C	A	I	E	F	A	F	L	A	N	J
O	U	T	A	F	F	F	U	G	E	U	F	R	C	I

78

K	A	V	I	N	Z	K	A	U	Z	D	E	W	M	L
V	Y	K	C	E	B	S	Z	H	R	K	I	M	T	Z
A	F	L	E	T	X	A	A	Q	E	L	S	N	R	Y
L	R	U	E	V	Z	Y	H	I	B	E	Z	W	K	M
I	G	A	D	L	A	X	Z	U	D	V	Q	A	T	Y
A	K	C	V	B	L	Z	R	E	G	W	M	L	B	U
N	D	I	U	E	U	I	M	V	K	C	U	D	C	M
T	A	S	D	B	N	I	V	G	B	F	O	O	M	T
A	A	B	P	M	H	L	N	R	O	D	L	I	K	J
R	I	P	I	C	T	I	A	G	O	Q	F	E	X	D
K	N	L	R	G	W	M	O	R	M	E	T	H	A	K
S	C	A	E	K	A	H	K	R	E	G	G	I	R	T
Y	S	U	R	M	R	I	M	T	R	V	S	E	L	R
M	Z	A	B	E	A	W	L	D	A	Y	Y	H	K	F
T	D	K	Z	A	E	T	N	I	V	E	K	E	G	O

Solutions

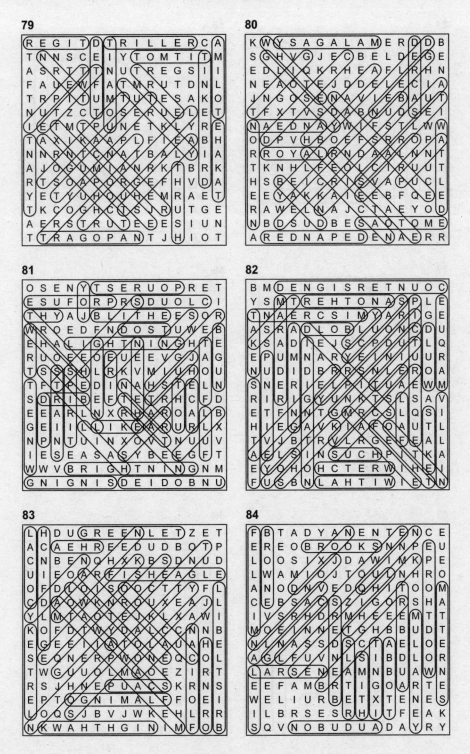

79

R	E	G	I	T	D	T	R	I	L	L	E	R	C	A
T	N	N	S	C	E	I	Y	T	O	M	T	I	T	M
A	S	R	T	T	T	N	U	T	R	E	G	S	I	I
F	A	U	E	W	F	A	T	M	R	U	T	D	N	L
T	R	P	I	T	U	M	T	U	T	E	S	A	K	O
N	U	T	Z	C	T	O	S	E	R	U	E	L	E	T
I	E	T	M	T	P	U	N	E	T	K	L	Y	R	E
T	A	X	I	K	A	A	P	L	F	I	E	A	B	H
N	N	R	N	T	C	N	A	T	B	A	L	Y	I	A
A	J	O	G	U	M	I	A	N	R	K	T	B	R	K
R	T	S	O	A	P	O	R	G	E	F	H	V	D	A
Y	E	T	Y	U	H	O	U	H	E	M	R	A	E	T
T	K	C	O	G	H	C	T	S	J	R	U	T	G	E
A	E	R	S	T	R	U	T	E	E	E	S	I	U	N
T	T	R	A	G	O	P	A	N	T	J	H	I	O	T

80

K	W	Y	S	A	G	A	L	A	M	E	R	D	D	B
S	G	H	V	G	J	E	C	B	E	L	D	E	G	E
E	D	L	I	Q	K	R	H	E	A	F	L	R	H	N
N	E	A	O	T	E	J	D	D	E	L	E	C	I	A
J	N	G	O	S	E	N	A	V	I	E	B	A	U	T
T	F	X	T	V	S	D	A	B	N	U	D	S	E	I
N	A	E	D	N	A	Y	W	I	F	S	T	L	W	W
O	D	P	V	H	B	O	E	F	S	R	R	O	P	A
R	R	O	Y	A	L	R	N	D	A	A	L	N	N	T
T	K	N	H	L	F	E	O	L	C	I	R	U	U	T
H	S	B	E	I	C	R	I	S	V	A	P	U	C	L
E	E	Y	A	K	K	A	I	E	E	B	F	Q	E	E
R	A	W	E	L	N	A	J	C	T	A	E	Y	O	D
N	B	D	S	U	D	B	E	S	A	O	T	O	M	E
A	R	E	D	N	A	P	E	D	E	N	A	E	R	R

81

O	S	E	N	Y	T	S	E	R	U	O	P	R	E	T
E	S	U	F	O	R	P	R	S	D	U	O	L	C	I
T	H	Y	A	J	B	L	I	T	H	E	E	S	O	R
W	R	O	E	D	F	N	D	O	S	T	U	W	E	B
E	H	A	L	I	G	H	T	N	I	N	G	H	T	E
R	U	O	E	E	O	E	U	E	E	V	G	J	A	G
T	S	S	S	H	L	R	K	V	M	I	U	H	O	U
T	F	T	P	E	D	I	N	A	H	S	T	E	L	N
S	D	R	I	B	E	F	T	E	T	R	H	C	F	D
E	E	A	R	L	N	X	R	H	A	R	O	A	L	B
G	E	I	I	L	L	I	K	E	A	R	U	R	L	X
N	P	N	T	U	I	N	X	O	V	T	N	U	U	V
I	E	S	E	A	S	A	S	Y	B	E	E	G	F	T
W	W	V	B	R	I	G	H	T	N	I	N	G	N	M
G	N	I	G	N	I	S	D	E	I	D	O	B	N	U

82

B	M	D	E	N	G	I	S	R	E	T	N	U	O	C
Y	S	M	T	R	E	H	T	O	N	A	S	P	L	E
T	N	A	E	R	C	S	I	M	Y	A	R	I	G	E
A	S	R	A	D	L	O	B	L	U	O	N	C	D	U
K	S	A	D	I	E	J	S	C	P	D	U	T	L	Q
E	P	U	M	N	A	R	Y	E	I	N	I	U	U	R
N	U	D	I	D	B	R	R	S	N	L	E	R	O	A
S	N	E	R	I	E	L	P	I	T	U	A	E	W	M
R	I	R	I	G	Y	U	N	K	T	S	L	S	A	V
E	T	F	N	N	T	G	M	R	C	S	L	Q	S	I
H	I	E	G	A	V	K	I	A	F	O	A	U	T	L
T	V	J	B	T	R	V	L	R	G	E	F	E	A	L
A	E	L	S	I	N	S	U	C	H	P	I	T	K	A
E	Y	O	H	O	H	C	T	E	R	W	I	H	E	I
F	U	S	B	N	L	A	H	T	I	W	I	E	T	N

83

L	H	D	U	G	R	E	E	N	L	E	T	Z	E	T
A	C	A	E	H	R	E	E	D	U	D	B	O	T	P
C	N	B	E	N	Q	H	X	K	B	S	D	N	U	D
U	I	E	O	A	R	F	I	S	H	E	A	G	L	E
O	F	D	L	O	I	S	O	O	C	T	T	Y	F	L
C	D	A	O	W	K	N	R	O	U	X	E	A	J	L
Y	L	M	T	A	O	T	E	J	K	L	X	A	W	I
K	O	F	D	T	W	Y	D	A	L	C	C	N	N	B
E	G	E	E	I	I	A	T	O	L	A	U	A	H	E
S	E	Q	N	E	R	P	W	O	N	E	Q	C	O	L
T	W	G	U	U	O	L	M	A	O	E	Z	I	R	T
R	S	J	H	N	E	P	U	A	C	S	K	R	N	S
E	P	T	O	G	N	I	M	A	L	F	F	O	E	I
L	O	Q	S	J	B	V	J	W	K	E	H	L	R	R
N	K	W	A	H	T	H	G	I	N	I	M	F	O	B

84

F	B	T	A	D	Y	A	N	E	N	T	E	N	C	E
E	R	E	O	B	R	O	O	K	S	N	N	P	E	U
L	O	O	S	I	X	J	D	A	W	I	M	K	P	E
L	W	A	M	I	O	J	T	O	U	L	N	H	R	O
A	N	O	D	N	V	E	D	Q	H	I	T	O	O	M
C	E	B	S	A	C	S	Z	I	G	O	R	S	H	A
I	V	S	R	H	D	R	M	H	E	E	E	M	T	T
M	O	E	I	N	N	E	T	G	H	B	B	U	D	T
N	L	N	A	S	S	D	S	C	T	A	E	L	O	E
A	G	L	F	U	V	N	L	S	I	B	D	L	O	R
L	A	R	S	E	N	E	A	M	N	B	U	A	W	N
E	E	F	A	M	B	R	T	I	G	O	A	R	T	E
W	E	L	I	U	R	B	E	T	X	T	E	N	E	S
I	L	B	R	S	E	S	R	H	I	T	F	E	A	K
S	Q	V	N	O	B	U	D	U	A	D	A	Y	R	Y

Solutions

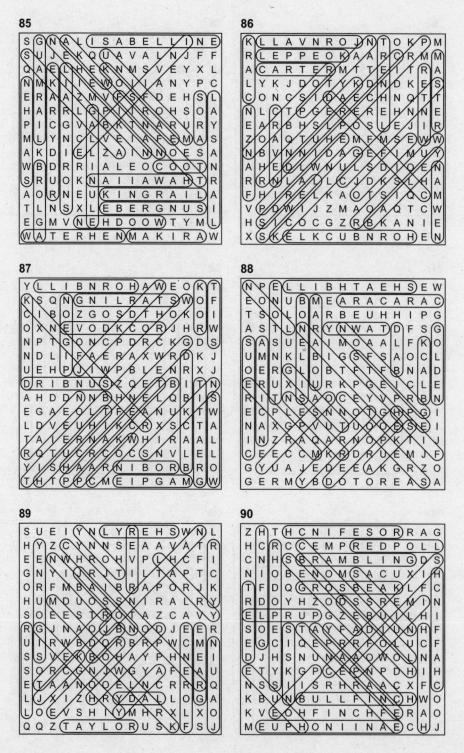

85

S G N A L I S A B E L L I N E
S U J E K Q U A V A L N J F F
Q A E L H E K N M S V E Y X L
N M K I I E W O I I A N Y P C
E R A A Z M V F S F D E H S L
H A R R L G P I I R O H S O A
P I C G V A B K T N A R U R Y
M L Y N C L V E I A F E M A S
A K D I E L Z A I N N O E S A
W B D R R I A L E O C O O T N
S R U O K N A I I A W A H T R
A O R N E U K I N G R A I L A
T L N S X L E B E R G N U S I
E G M V N E H D O O W T Y M L
W A T E R H E N M A K I R A W

86

K L L A V N R O J N T O K P M
R L E P P E O K A A R C R M M
A C A R T E R M T T E I T R A
L Y K J D O T Y K D N D K E S
C O N C S I D A E C H N Q T T
N L C T P G E R E R E H N N E
E A R B H S L P O S L E J I R
Z O A Q T U H E M F M S E W W
N B V N N I D A G E F I M U Y
A H E D L W N U L S D I O E N
R R N L A L L C J D K S L H A
F H I R E L K A O T S I Q C M
V P D W I J Z M A O A Q T C W
H S I C O C G Z R B K A N I E
X S K E L K C U B N R O H E N

87

Y L L I B N R O H A W E O K T
K S Q N G N I L R A T S W O F
C I B O Z G O S D T H O K O I
O X N E V O D K C O R J H R W
N P T G O N C P D R C K G D S
N D L I F A E R A X W R D K J
U E H P J I W P B L E N R X J
D R I B N U S Z Q E T B I T N
A H D D N N B H N E L Q B I S
E G A E O L T F E A N U K T W
L D V E U H I K C R X S C T A
T A I E R N A K W H I R A A L
R Q T U C R C O C S N V L E L
Y I S H A A R N I B O R B R O
T H T P P C M E I P G A M G W

88

N P E L L I B H T A E H S E W
E O N U B M E A R A C A R A C
T S O L O A R B E U H H I P G
A S T L N R Y N W A T D F S G
S A S U E A I M O A A L F K O
U M N K L B I G S F S A O C L
O E R G L O B T F T F B N A D
E R U X I U R K P G E I C L E
R I T N S A O C E Y V P R B N
E C P L E S N N O T G H P G I
N A X G P V U T U O O E S E I
I N Z R A Q A R N O P K T I J
C E E C C M K R D R U E M J F
G Y U A J E D E E A K G R Z O
G E R M Y B D O T O R E A S A

89

S U E I Y N L Y R E H S W N L
H Y Z C Y N N S E A A V A T R
E E N W H R O H V P L H C F I
G N Y I J R J T I L T A P T C
O R F M B A I B R A P O R J K
H U M D U O S S N I R A L R Y
S O E E S T R O T A Z C A V Y
R G J N A O J B N O D J E E R
U I R W B D O R B R P W C M N
S S V E K B O H A Y P H N E I
S O R C G N J W G Y A F E A U
E T A A N O O E L N C R R R Q
L J X I Z H R Y D A L L O G A
L O E V S H I Y M H R X L X O
Q Q Z T A Y L O R U S K F S J

90

Z H T H C N I F E S O R R A G
H C R C C E M P R E D P O L L
C N H S B R A M B L I N G D S
N I O B E N O M S A C U X I H
T F D Q G R O S B E A K L F C
R D O Y H Z O D S S R E M I N
E L P R U P G Z E B U I L H I
S O E S T A Y F A D I U N H F
E G C I Q E P R R F O L U C F
D J H S N U N A A O W O L N A
E T Y K G P C E P N P D H I H
N S S I I S R H R A A C X F C
K B U N B U L L F I N C H W O
K V E O H F I N C H F E R A O
M E U P H O N I I N A E C H J

Solutions

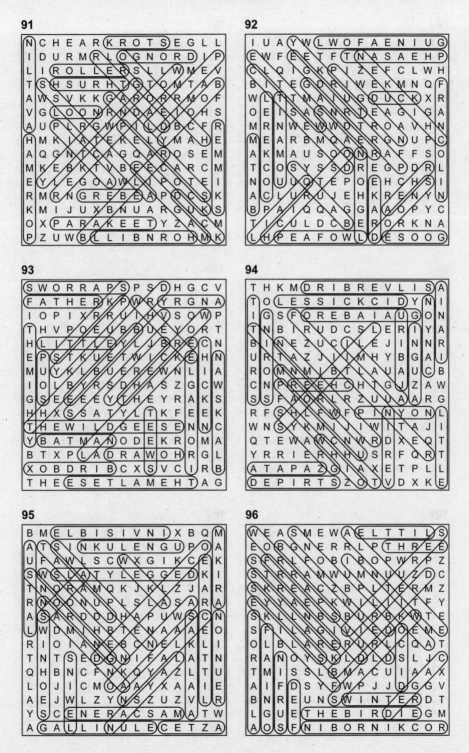

91

N	C	H	E	A	R	K	R	O	T	S	E	G	L	L
I	D	U	R	M	R	L	O	G	N	O	R	D	I	P
L	I	R	O	L	L	E	R	S	L	L	W	M	E	V
T	S	H	S	U	R	H	T	G	T	O	M	T	A	B
A	W	S	V	K	K	G	A	R	O	R	R	M	O	F
V	G	L	O	O	N	R	N	D	A	E	I	O	H	S
A	U	P	L	R	G	W	P	I	L	D	B	C	F	R
H	M	K	I	A	T	E	K	E	L	Y	M	A	H	E
A	Q	G	N	T	C	A	G	Q	A	R	O	S	E	M
M	K	E	B	K	T	V	B	E	E	C	A	R	C	M
E	Y	L	E	G	O	A	W	L	I	P	O	T	E	I
R	M	R	N	G	R	E	B	E	A	P	D	C	S	K
K	M	I	J	U	X	B	N	U	A	R	G	U	K	S
O	X	P	A	R	A	K	E	E	T	Y	Z	A	C	M
P	Z	U	W	B	L	L	I	B	N	R	O	H	M	K

92

I	U	A	Y	W	L	W	O	F	A	E	N	I	U	G
E	W	F	E	E	T	F	T	N	A	S	A	E	H	P
C	L	Q	I	G	K	P	I	Z	E	F	C	L	W	H
B	I	T	E	G	D	R	I	W	E	K	M	N	Q	F
W	L	T	T	M	A	I	U	G	D	U	C	K	X	R
O	E	I	S	A	S	N	R	T	E	A	G	I	G	A
M	R	N	W	E	W	W	D	T	R	O	A	V	H	N
M	E	A	R	B	M	Q	A	E	R	G	N	U	P	C
A	K	M	A	U	S	O	O	N	R	A	F	F	S	O
T	C	O	S	Y	S	S	D	R	E	G	P	D	R	L
N	O	U	U	Q	T	E	P	O	E	H	C	H	S	I
A	C	L	U	R	U	J	E	H	K	R	E	N	Y	N
B	P	A	I	Q	Q	A	G	G	A	A	O	P	Y	C
T	I	C	U	L	D	C	B	E	R	O	R	K	N	A
L	H	P	E	A	F	O	W	L	D	E	S	O	O	G

93

S	W	O	R	R	A	P	S	P	S	D	H	G	C	V
F	A	T	H	E	R	K	P	W	R	Y	R	G	N	A
I	O	P	I	X	R	R	U	I	H	V	S	O	W	P
T	H	V	P	O	E	U	B	B	U	E	Y	O	R	T
H	L	I	T	T	L	E	Y	L	J	B	R	E	C	N
E	P	S	T	K	U	E	T	W	I	C	K	E	H	N
M	U	Y	K	L	B	U	E	R	E	W	N	L	I	A
I	O	L	B	Y	R	S	D	H	A	S	Z	G	C	W
G	S	E	E	E	E	Y	T	H	E	Y	R	A	K	S
H	H	X	S	S	A	T	Y	L	T	K	F	E	E	K
T	H	E	W	I	L	D	G	E	E	S	E	N	N	C
Y	B	A	T	M	A	N	O	D	E	K	R	O	M	A
B	T	X	P	L	A	D	R	A	W	O	H	R	G	L
X	O	B	D	R	I	B	C	X	S	V	C	I	R	B
T	H	E	E	S	E	T	L	A	M	E	H	T	A	G

94

T	H	K	M	D	R	I	B	R	E	V	L	I	S	A
T	O	L	E	S	S	I	C	K	C	I	D	Y	N	I
I	G	S	F	O	R	E	B	A	I	A	U	G	O	N
T	N	B	I	R	U	D	C	S	L	E	R	I	Y	A
B	I	N	E	Z	U	C	I	L	E	J	I	N	N	R
U	R	T	A	Z	J	I	I	M	H	Y	B	G	A	I
R	O	M	N	M	I	B	T	L	A	U	A	U	C	B
C	N	P	R	E	E	H	C	H	T	G	J	Z	A	W
S	S	F	A	O	R	L	R	Z	U	U	A	A	R	G
R	F	S	H	L	F	W	F	P	I	N	Y	O	N	L
W	N	S	Y	K	M	I	J	I	W	I	T	A	J	I
Q	T	E	W	A	W	C	N	W	R	D	X	E	Q	T
Y	R	R	I	E	R	H	H	U	S	R	F	Q	R	T
A	T	A	P	A	Z	G	I	A	X	E	T	P	L	L
D	E	P	I	R	T	S	Z	O	T	V	D	X	K	E

95

B	M	E	L	B	I	S	I	V	N	I	X	B	Q	M
A	T	S	I	N	K	U	L	E	N	G	U	P	O	A
U	F	A	W	L	S	C	W	X	G	I	K	C	E	K
S	W	S	L	A	T	Y	L	E	G	G	E	D	K	I
T	N	O	R	A	M	Q	K	J	K	L	Z	J	A	R
R	N	O	O	N	U	P	L	S	L	A	S	A	R	A
A	S	A	R	D	D	D	H	A	P	U	W	S	C	N
L	W	D	M	I	H	B	T	E	N	A	A	A	E	O
R	I	O	I	A	N	E	B	C	N	E	L	K	L	I
T	N	T	S	E	D	G	N	I	F	A	L	A	T	N
Q	H	B	N	C	F	N	K	Q	Y	A	Z	L	T	U
L	O	J	I	C	M	O	A	A	Y	X	A	A	I	E
A	E	J	W	L	Z	Y	N	S	Z	U	Z	V	L	R
Y	S	C	E	N	E	R	A	C	S	A	M	A	T	W
A	G	A	L	L	I	N	U	L	E	C	E	T	Z	A

96

W	E	A	S	M	E	W	A	E	L	T	T	I	L	S
E	O	B	G	N	E	R	R	L	P	T	H	R	E	E
S	F	R	L	F	O	B	I	B	O	P	W	R	P	Z
S	T	R	R	A	M	W	U	M	N	U	U	Z	D	C
S	K	R	E	A	C	Z	B	P	L	T	E	R	M	Z
E	Y	Y	A	E	P	K	W	I	L	I	I	T	F	Y
S	K	L	L	N	B	S	B	U	R	B	K	W	T	E
S	F	I	L	A	G	I	V	I	E	D	O	E	M	E
O	L	B	L	A	R	E	R	U	R	L	C	Q	A	T
R	A	N	O	Y	S	K	L	D	L	D	S	L	J	C
T	M	I	S	S	L	B	M	A	C	U	I	A	A	X
A	I	F	D	S	Y	F	W	P	J	J	D	G	G	V
B	N	R	E	U	N	S	W	I	N	T	E	R	D	T
L	G	U	E	T	H	E	B	I	R	D	I	E	G	M
A	O	S	F	N	I	B	O	R	N	I	K	C	O	R

Solutions

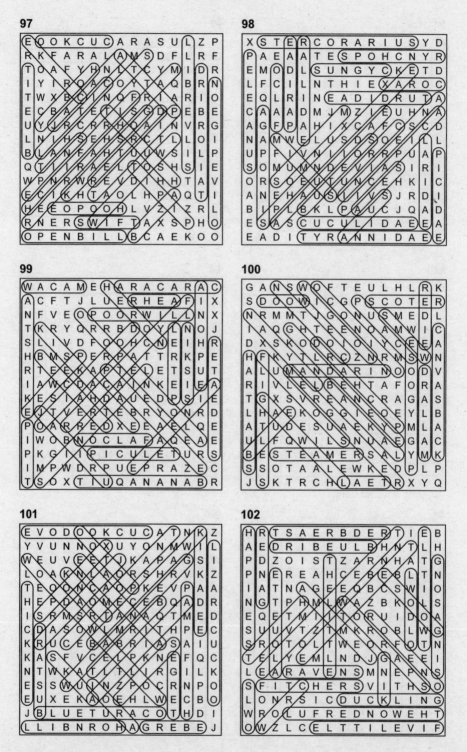

97

E	O	O	K	C	U	C	A	R	A	S	U	L	Z	P
R	K	F	A	R	A	L	A	M	S	D	F	L	R	F
T	O	A	F	Y	H	N	L	T	C	Y	M	I	D	R
I	Y	I	R	O	A	C	O	Y	T	A	Q	B	R	N
T	W	X	B	C	I	N	Q	F	R	I	A	R	I	O
E	C	B	A	T	E	T	I	S	G	D	P	E	B	E
U	Y	J	R	C	R	R	H	O	A	I	N	V	R	G
L	N	I	H	S	E	H	S	R	C	T	L	L	O	I
B	L	A	N	F	A	H	T	U	U	W	S	I	L	P
Q	T	I	I	R	A	E	L	T	O	S	H	S	I	E
W	P	N	R	W	R	E	V	D	I	H	H	T	A	V
E	C	I	K	H	T	A	O	L	H	P	A	Q	T	I
H	E	E	O	P	O	O	H	L	V	Z	I	Z	R	L
R	N	E	R	S	W	I	F	T	A	X	S	P	H	O
O	P	E	N	B	I	L	L	B	C	A	E	K	O	O

98

X	S	T	E	R	C	O	R	A	R	I	U	S	Y	D
P	A	E	A	A	T	E	S	P	O	H	C	N	Y	R
E	M	O	D	L	S	U	N	G	Y	C	K	E	T	D
L	F	C	I	L	N	T	H	I	E	X	A	R	O	C
E	Q	L	R	I	N	E	A	D	I	D	R	U	T	A
C	A	A	A	D	M	J	M	Z	I	E	U	H	N	A
A	G	F	P	A	H	I	X	C	A	F	C	S	C	D
N	A	M	W	E	L	U	S	D	S	O	E	I	L	L
U	P	F	I	V	N	I	I	O	R	R	P	U	A	P
S	O	M	U	M	N	D	E	V	I	A	S	I	R	I
O	R	S	O	E	U	T	U	N	C	E	H	K	I	C
A	N	E	H	A	U	S	I	I	V	S	J	R	D	I
B	I	P	L	B	K	L	P	A	U	C	J	Q	A	D
E	S	A	S	C	U	C	U	L	I	D	A	E	E	A
E	A	D	I	T	Y	R	A	N	N	I	D	A	E	E

99

W	A	C	A	M	E	H	A	R	A	C	A	R	A	C
A	C	F	T	J	L	U	E	R	H	E	A	F	I	X
N	F	V	E	O	P	O	O	R	W	I	L	L	N	X
T	K	R	Y	Q	R	R	B	D	O	Y	L	N	O	J
S	L	I	V	D	F	O	O	H	C	N	E	I	H	R
H	B	M	S	P	E	R	P	A	T	T	R	K	P	E
R	T	E	E	K	A	P	T	E	L	E	T	S	U	T
I	A	W	C	D	A	C	A	I	N	K	E	I	E	A
K	E	S	I	A	H	D	A	U	E	D	P	S	I	E
E	J	T	V	E	R	T	E	B	R	Y	O	N	R	D
P	O	A	R	R	E	D	X	E	E	A	E	L	Q	E
I	W	O	B	N	O	C	L	A	F	A	Q	E	A	E
P	K	G	I	I	P	I	C	U	L	E	T	U	R	S
I	M	P	W	D	R	P	U	E	P	R	A	Z	E	C
T	S	O	X	T	I	U	Q	A	N	A	N	A	B	R

100

G	A	N	S	W	O	F	T	E	U	L	H	L	R	K
S	D	O	O	W	I	C	G	P	S	C	O	T	E	R
N	R	M	M	T	J	G	O	N	U	S	M	E	D	L
I	A	Q	G	H	T	E	E	N	O	A	M	W	I	C
D	X	S	K	O	D	O	I	O	I	Y	C	E	E	A
H	F	K	Y	T	L	R	C	Z	N	R	M	S	W	N
A	L	U	M	A	N	D	A	R	I	N	O	O	D	V
R	I	V	L	E	L	B	E	H	T	A	F	O	R	A
T	G	X	S	V	R	E	A	N	C	R	A	G	A	S
L	H	A	E	K	O	G	G	I	E	O	E	Y	L	B
A	T	U	D	E	S	U	A	E	K	Y	P	M	L	A
U	L	F	Q	W	I	L	S	N	U	A	E	G	A	C
B	E	S	T	E	A	M	E	R	S	A	L	Y	M	K
S	S	O	T	A	A	L	E	W	K	E	D	P	L	P
J	S	K	T	R	C	H	L	A	E	T	R	X	Y	Q

101

E	V	O	D	O	O	K	C	U	C	A	T	N	K	Z
Y	V	U	N	N	O	X	U	Y	O	N	M	W	I	L
W	E	U	V	E	E	T	J	K	A	P	A	G	S	I
L	O	A	K	N	L	A	O	R	S	H	R	V	K	Z
T	E	O	O	N	C	A	O	P	K	E	V	P	A	A
H	E	P	D	A	O	M	E	C	E	B	Q	A	D	R
I	S	R	M	S	R	T	A	N	A	Q	T	M	E	D
C	D	A	S	O	W	L	M	R	I	T	H	P	E	C
K	R	U	C	E	B	A	B	R	I	A	S	A	I	U
K	A	S	F	V	C	E	L	P	K	N	E	F	Q	C
N	T	W	K	A	T	L	T	L	I	R	G	I	L	K
E	S	S	W	U	I	N	Z	P	O	C	R	N	P	O
E	U	X	E	K	A	O	E	H	L	W	E	C	B	O
J	B	L	U	E	T	U	R	A	C	O	T	H	D	I
L	L	I	B	N	R	O	H	A	G	R	E	B	E	J

102

H	R	T	S	A	E	R	B	D	E	R	T	I	E	B
A	E	D	R	I	B	E	U	L	B	H	N	T	L	H
P	D	Z	O	I	S	T	Z	A	R	N	H	A	T	G
P	N	E	R	E	A	H	C	E	B	E	B	L	T	N
I	A	T	N	A	G	E	E	Q	B	C	S	W	I	O
N	G	T	P	H	M	L	W	A	Z	B	K	O	L	S
E	Q	E	T	M	I	I	T	O	R	U	I	D	O	A
S	U	U	V	T	Z	T	M	K	R	O	B	L	W	G
S	R	O	T	O	L	T	W	E	O	R	F	O	T	N
T	E	L	Y	E	M	L	N	D	J	G	A	E	E	I
L	E	A	R	A	V	E	N	S	M	N	E	P	N	S
S	F	I	T	C	H	E	R	S	V	I	T	H	S	O
L	O	N	R	S	I	C	D	U	C	K	L	I	N	G
W	R	O	L	U	F	R	E	D	N	O	W	E	H	T
O	W	Z	L	C	E	L	T	T	I	L	E	V	I	F

Solutions

103

R	I	B	M	I	H	S	E	W	A	L	R	Y	Q	U
L	L	E	O	M	I	S	E	O	I	S	E	A	U	C
I	N	Y	O	N	I	D	U	N	B	E	P	G	V	N
J	B	C	O	R	V	F	L	Q	L	G	U	R	O	F
O	W	F	X	I	Q	E	V	X	U	E	T	A	P	V
F	L	B	O	C	E	L	L	X	O	D	N	D	P	M
L	I	L	D	L	A	H	B	X	Z	N	S	A	E	A
M	I	V	E	D	M	B	A	L	A	M	E	V	N	C
A	Y	N	E	C	T	O	M	T	W	T	A	O	P	I
G	Y	R	T	P	C	H	S	I	Z	M	O	J	Y	T
G	Y	G	N	U	R	U	B	B	I	G	Q	S	C	P
N	K	J	U	O	N	H	U	H	P	A	X	A	R	O
A	K	U	U	T	B	K	C	N	A	U	U	P	M	R
L	O	H	S	F	Y	I	Y	Y	A	Q	Z	K	R	G
I	X	U	Q	T	A	F	K	R	I	M	Y	R	E	U

104

O	N	O	M	E	L	E	L	T	R	U	T	P	G	D
S	O	M	A	L	I	U	I	G	S	P	F	K	R	I
B	W	A	Z	U	E	R	O	N	W	O	N	G	A	L
H	X	K	H	P	L	M	H	Z	C	G	L	G	E	L
X	N	G	N	I	N	R	U	O	M	A	T	S	M	A
Z	E	B	R	A	M	I	N	D	O	R	O	I	O	P
S	T	R	A	E	H	G	N	I	D	E	E	L	B	M
P	A	D	I	A	N	E	Z	L	U	L	M	V	P	S
I	I	Q	N	Y	U	A	Y	A	S	J	X	E	L	L
N	D	Z	M	O	A	O	D	X	K	G	J	R	Y	Z
I	A	N	D	A	M	A	N	A	Y	U	H	Y	K	V
F	K	C	O	R	H	A	N	I	L	G	I	R	I	S
E	B	S	R	I	H	H	I	B	A	N	T	F	N	N
X	U	J	L	O	Q	L	Z	D	Z	A	C	O	R	T
H	W	L	U	Y	K	U	Y	R	C	O	W	T	N	I

105

B	R	E	V	A	P	Y	I	N	B	V	X	B	T	A
O	Y	D	U	L	K	L	H	A	R	L	E	Y	B	M
T	M	O	D	C	F	E	T	S	E	L	E	C	U	B
Q	M	X	O	S	Q	I	H	W	L	A	S	U	D	E
O	A	R	L	U	C	K	Y	A	R	U	N	E	D	R
L	S	A	P	P	H	I	R	E	N	C	J	G	Y	F
I	U	A	O	C	F	H	X	S	E	H	C	A	E	P
V	E	S	D	S	T	J	H	K	T	U	F	J	W	L
E	S	O	Y	W	F	I	T	U	A	E	Y	Y	P	M
R	R	K	E	E	N	E	N	S	Z	I	M	W	L	I
B	W	E	I	E	M	A	N	G	O	L	C	O	C	O
X	T	A	P	T	E	K	Q	C	R	R	L	F	J	I
Y	C	P	M	P	T	D	I	B	H	A	J	S	K	L
L	T	E	C	E	E	L	W	W	F	H	A	I	Z	L
Z	O	S	C	A	R	P	E	D	I	C	T	B	J	C

106

L	D	R	I	B	N	O	M	A	N	N	I	C	E	A
A	U	L	D	R	I	B	R	E	D	N	U	H	T	D
G	P	R	U	V	W	L	P	H	O	E	N	I	X	N
M	J	I	U	L	U	T	S	O	N	O	K	L	A	U
K	E	S	A	T	S	C	L	M	H	H	O	C	H	Y
X	I	R	T	S	G	O	U	T	O	T	J	E	N	A
I	T	S	U	M	A	D	E	B	N	O	F	T	L	M
H	S	U	I	R	D	A	L	A	C	E	Y	A	N	A
S	H	T	O	H	T	A	C	E	N	A	U	N	I	G
L	I	B	A	B	A	I	D	G	M	N	Q	S	F	E
Y	I	E	F	S	L	D	H	A	N	O	N	U	F	V
B	W	N	Q	A	J	U	C	O	R	P	A	R	I	A
I	M	N	Q	V	A	U	I	H	U	N	S	O	R	X
R	A	U	F	N	U	F	D	V	O	J	A	H	G	E
D	E	P	G	U	A	L	U	I	O	L	B	I	R	D

107

S	W	O	R	O	P	E	N	D	O	L	A	B	Q	W
T	U	B	J	T	V	I	T	A	V	A	D	A	V	A
T	F	E	U	N	H	A	R	D	L	U	E	R	S	C
I	U	G	N	V	T	O	L	A	R	F	Q	B	A	G
M	H	W	G	I	B	H	R	L	C	I	F	E	N	T
R	Y	B	L	O	J	C	A	N	E	A	B	T	D	L
E	L	S	E	L	J	O	C	D	T	S	R	G	P	W
H	I	O	F	E	Y	C	Q	C	R	A	O	A	I	O
S	A	P	O	T	E	V	U	O	E	I	I	R	P	F
I	U	X	W	E	L	A	E	V	G	B	B	L	E	A
F	E	N	L	A	I	K	T	U	L	N	M	T	R	E
G	F	B	B	R	F	S	T	E	V	E	A	O	A	P
N	S	L	L	I	B	D	A	O	R	B	I	M	R	C
I	C	K	H	D	R	N	I	K	A	N	A	M	O	C
K	W	C	X	W	I	D	L	G	S	U	C	Z	Z	C

108

B	I	G	F	J	H	Z	N	X	M	K	D	A	W	Y
A	I	U	X	I	A	U	S	D	C	B	A	R	E	S
N	O	R	H	P	E	N	U	A	O	O	L	E	A	H
A	E	I	A	J	O	D	J	P	T	V	G	F	A	E
N	L	T	S	W	G	H	R	W	O	T	E	L	O	C
A	A	C	C	R	A	T	O	I	N	D	J	K	G	C
Q	M	A	H	Y	L	E	A	A	B	M	A	L	I	A
U	P	E	Z	B	A	A	F	E	T	F	N	R	A	E
I	A	L	I	I	H	E	J	E	R	Z	R	D	N	A
T	R	T	Z	L	V	Z	R	U	S	G	I	U	T	L
R	D	T	W	L	A	S	R	D	K	L	H	N	S	A
K	U	A	W	A	I	B	S	C	Y	O	I	N	H	R
T	S	C	P	N	U	M	A	L	M	H	I	S	Y	K
C	C	G	A	R	V	P	O	V	E	N	B	I	R	D
D	O	A	B	S	E	V	O	I	Q	M	U	A	W	U

Solutions

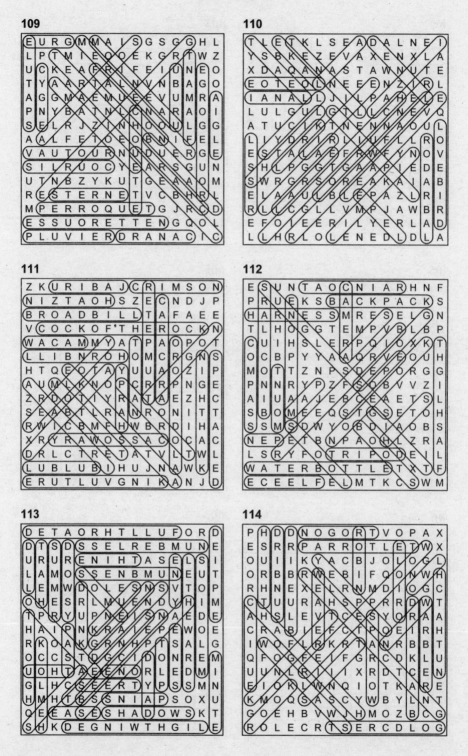

109

E	U	R	G	M	M	A	I	S	G	S	G	G	H	L
L	P	T	M	I	E	O	O	E	K	G	R	T	W	Z
U	C	K	E	A	F	R	I	F	E	I	U	N	E	O
T	Y	A	A	R	T	A	L	N	V	N	B	A	G	O
A	G	G	M	A	E	M	U	E	E	V	U	M	R	A
P	N	Y	B	A	T	N	L	C	N	A	R	A	O	I
S	E	L	R	J	Z	I	N	H	O	O	U	L	G	G
A	A	L	F	E	T	O	E	O	B	N	I	F	E	L
V	A	U	T	O	U	R	N	U	D	U	E	R	G	E
S	I	L	R	U	O	C	Y	E	A	R	S	G	U	N
U	T	N	B	Z	Y	K	U	T	G	E	A	A	O	M
R	E	S	T	E	R	N	E	T	V	C	B	H	R	L
M	P	E	R	R	O	Q	U	E	T	G	J	R	C	D
E	S	S	U	O	R	E	T	T	E	N	G	Q	O	L
P	L	U	V	I	E	R	D	R	A	N	A	C	I	C

110

T	L	E	T	K	L	S	E	A	D	A	L	N	E	I
Y	S	B	K	E	Z	E	V	A	X	E	N	X	L	A
X	D	A	Q	A	N	A	S	T	A	W	N	U	T	E
E	O	T	E	O	L	N	E	E	E	N	Z	I	R	L
I	A	N	A	L	L	J	I	L	P	A	H	E	L	E
L	U	L	G	U	L	G	T	L	L	C	N	E	V	Q
A	T	U	C	I	K	T	N	E	N	N	A	O	U	L
L	I	Y	D	R	I	R	L	I	U	F	L	L	R	O
E	S	T	A	L	A	E	F	R	W	F	Y	N	O	V
S	H	L	P	G	G	T	G	A	A	P	I	E	D	E
S	W	R	G	R	S	O	R	E	A	K	A	I	A	B
E	L	A	A	U	L	B	L	E	P	A	Z	L	R	I
R	L	L	C	G	L	L	V	M	P	J	A	W	B	R
E	F	O	I	E	E	R	I	L	Y	E	R	L	A	D
L	L	H	R	L	O	L	E	N	E	D	L	D	L	A

111

Z	K	U	R	I	B	A	J	C	R	I	M	S	O	N
N	I	Z	T	A	O	H	S	Z	E	C	N	D	J	P
B	R	O	A	D	B	I	L	L	T	A	F	A	E	E
V	C	O	C	K	O	F'	T	H	E	R	O	C	K	N
W	A	C	A	M	M	Y	A	T	P	A	O	P	O	T
L	L	I	B	N	R	O	H	H	O	M	C	R	G	N	S
H	T	Q	E	O	T	A	Y	U	U	A	O	Z	I	P
A	U	M	L	K	N	O	P	C	R	R	P	N	G	E
Z	R	D	O	T	I	Y	R	A	T	A	E	Z	H	C
S	E	A	B	T	L	R	A	N	R	O	N	I	T	T
R	W	I	C	B	M	F	H	W	B	R	D	I	H	A
X	R	Y	R	A	W	O	S	S	A	C	O	C	A	C
D	R	L	C	T	R	E	T	A	T	V	L	T	W	L
L	U	B	L	U	B	I	H	U	J	N	A	W	K	E
E	R	U	T	L	U	V	G	N	I	K	A	N	J	D

112

E	S	U	N	T	A	O	C	N	I	A	R	H	N	F
P	R	U	E	K	S	B	A	C	K	P	A	C	K	S
H	A	R	N	E	S	S	M	R	E	S	E	L	G	N
T	L	H	O	G	G	T	E	M	P	V	B	L	B	P
C	U	I	H	S	L	E	R	P	Q	I	O	X	K	T
O	C	B	P	Y	Y	A	A	Q	R	V	E	O	U	H
M	O	T	T	Z	N	P	S	D	E	P	O	R	G	G
P	N	N	R	Y	P	Z	F	S	O	B	V	V	Z	I
A	I	U	A	A	J	E	B	C	E	A	E	T	S	L
S	B	O	M	E	E	Q	S	T	G	S	E	T	O	H
S	S	M	S	D	W	Y	O	B	D	I	A	O	B	S
N	E	P	E	T	B	N	P	A	O	H	L	Z	R	A
L	S	R	Y	F	O	T	R	I	P	O	D	E	I	L
W	A	T	E	R	B	O	T	T	L	E	T	X	T	F
E	C	E	E	L	F	E	L	M	T	K	C	S	W	M

113

D	E	T	A	O	R	H	T	L	L	U	F	O	R	D
D	T	S	D	S	S	E	L	R	E	B	M	U	N	E
U	R	U	R	E	N	I	H	T	A	S	E	L	S	I
L	A	M	O	S	S	E	N	B	M	U	N	E	U	T
L	E	M	W	D	O	L	E	S	N	S	V	T	O	P
O	H	E	S	R	L	M	U	E	N	D	Y	H	I	M
T	P	R	Y	U	P	N	E	I	S	N	A	E	D	E
H	A	I	P	N	K	R	A	I	E	P	E	W	O	E
R	K	O	A	K	G	R	N	H	P	T	S	A	L	G
O	C	C	S	T	D	G	C	I	D	O	N	R	E	M
U	O	H	T	A	E	E	N	O	R	L	E	D	M	I
G	L	H	C	S	E	E	R	T	Y	P	S	S	M	N
H	M	H	T	B	S	S	N	I	A	P	S	O	X	U
Q	E	E	A	S	E	S	H	A	D	O	W	S	K	T
S	H	K	D	E	G	N	I	W	T	H	G	I	L	E

114

P	H	D	D	N	O	G	O	R	T	V	O	P	A	X
E	S	R	R	P	A	R	R	O	T	L	E	T	W	X
O	U	I	I	K	Y	A	C	B	J	O	L	O	G	L
O	R	B	B	R	W	E	B	I	F	Q	O	N	W	H
R	H	N	E	X	E	L	R	N	M	D	I	O	G	C
C	T	U	U	R	A	H	S	P	P	R	R	D	W	T
A	H	S	L	E	V	T	C	E	S	Y	O	R	A	A
C	R	A	B	I	E	F	C	T	P	O	E	I	R	H
I	W	O	F	L	R	K	R	T	A	N	R	B	B	T
Q	F	O	G	F	E	I	F	G	R	C	D	K	L	U
U	U	N	L	R	I	I	I	X	R	D	T	C	E	N
E	I	O	K	L	W	N	Q	I	O	T	K	A	R	E
K	M	O	Q	S	A	S	C	Y	W	B	Y	L	N	T
G	O	E	H	B	V	W	J	H	M	O	Z	B	C	G
R	O	L	E	C	R	T	S	E	R	C	D	L	O	G

Solutions

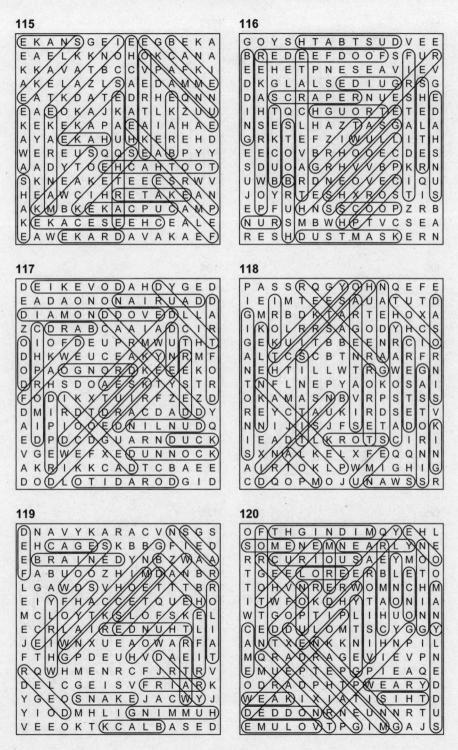

115

E	K	A	N	S	G	E	I	E	E	G	B	E	K	A
E	A	E	L	K	K	N	O	H	O	K	C	A	N	A
K	K	A	V	A	T	B	C	C	V	P	A	F	K	I
A	K	E	L	A	Z	L	S	A	E	D	A	M	M	E
E	A	T	K	D	A	T	E	D	R	H	E	Q	N	N
E	A	E	O	K	A	J	K	A	T	L	K	Z	U	U
K	E	K	E	K	A	P	A	E	A	I	A	H	A	E
A	Y	A	E	K	A	H	U	H	K	E	R	E	H	D
W	E	R	E	U	S	Q	Q	S	E	A	B	P	Y	Y
A	A	D	Y	T	O	E	H	C	A	H	T	O	O	T
S	K	N	E	A	K	E	T	E	E	E	S	R	W	V
H	E	A	W	C	I	H	R	E	T	A	K	E	A	N
A	K	M	B	K	E	K	A	C	P	U	C	A	M	P
K	E	K	A	C	E	S	E	E	H	C	E	A	L	E
E	A	W	E	K	A	R	D	A	V	A	K	A	E	F

116

G	O	Y	S	H	T	A	B	T	S	U	D	V	E	E
B	R	E	D	E	E	F	D	O	O	F	S	F	U	R
E	E	H	E	T	P	N	E	S	E	A	V	I	E	V
D	K	G	L	A	L	S	E	D	I	U	G	R	S	G
D	A	S	C	R	A	P	E	R	N	U	E	S	H	E
I	H	T	Q	C	H	G	U	O	R	T	E	T	E	D
N	S	E	S	L	H	A	Z	T	A	S	G	A	L	A
G	R	K	T	E	F	Z	I	W	U	L	L	I	T	H
E	E	C	O	V	B	R	H	O	O	E	C	D	E	S
S	D	U	O	A	G	R	H	V	V	B	P	K	R	N
U	W	B	B	R	D	N	E	O	V	E	C	I	Q	U
J	O	Y	R	T	E	S	H	X	R	O	S	T	I	S
E	P	F	U	H	N	S	S	C	O	O	P	Z	R	B
N	U	R	S	M	B	W	H	P	T	V	C	S	E	A
R	E	S	H	D	U	S	T	M	A	S	K	E	R	N

117

D	E	I	K	E	V	O	D	A	H	D	Y	G	E	D
E	A	D	A	O	N	O	N	A	I	R	U	A	D	D
D	I	A	M	O	N	D	D	O	V	E	D	L	L	A
Z	C	D	R	A	B	C	A	A	I	A	D	C	I	R
O	I	O	F	D	E	U	P	R	M	W	U	T	H	T
D	H	K	W	E	U	C	E	A	K	Y	N	R	M	F
O	P	A	O	G	N	O	R	D	K	E	E	E	K	O
D	R	H	S	D	O	A	E	S	K	T	Y	S	T	R
F	O	D	I	K	X	T	U	I	R	F	Z	E	Z	D
D	M	I	R	D	T	D	R	A	C	D	A	D	D	Y
A	I	P	I	O	O	E	D	N	I	L	N	U	D	Q
E	D	P	D	C	D	G	U	A	R	N	D	U	C	K
V	G	E	W	E	F	X	E	D	U	N	N	O	C	K
A	K	R	I	K	K	C	A	D	T	C	B	A	E	E
D	O	D	L	O	T	I	D	A	R	O	D	G	I	D

118

P	A	S	S	R	Q	G	Y	O	H	N	Q	E	F	E
I	E	I	M	T	E	E	S	A	U	A	T	U	T	D
G	M	R	B	D	K	T	A	R	T	E	H	O	X	A
I	K	O	L	R	R	S	A	G	O	D	Y	H	C	S
G	E	K	U	I	T	B	B	E	E	N	R	C	I	O
A	L	T	C	S	C	B	T	N	R	A	A	R	F	R
N	E	H	T	I	L	L	W	T	R	G	W	E	G	N
T	N	F	L	N	E	P	Y	A	O	K	O	S	A	I
O	K	A	M	A	S	N	B	V	R	P	S	T	S	S
R	E	Y	C	T	A	U	K	I	R	D	S	E	T	V
N	N	I	J	I	S	J	F	S	E	T	A	D	O	K
I	E	A	D	T	L	K	R	O	T	S	C	I	R	I
S	X	N	A	L	K	E	L	X	F	E	Q	Q	N	N
A	I	R	T	O	K	L	P	W	M	I	G	H	I	G
C	D	Q	O	P	M	O	J	U	N	A	W	S	S	R

119

D	N	A	V	Y	K	A	R	A	C	V	N	S	G	S
E	H	C	A	G	E	S	K	B	B	G	F	I	E	D
E	B	R	A	I	N	E	D	Y	N	B	Z	W	A	A
F	A	B	U	O	O	Z	H	I	M	D	A	N	B	R
L	G	A	W	D	S	V	H	O	E	T	T	T	B	R
E	I	Y	F	H	A	C	C	E	T	Q	U	E	H	O
M	C	L	O	Y	T	K	S	L	O	F	S	K	E	L
E	C	R	L	A	I	R	E	D	N	U	H	T	L	I
J	E	I	W	N	X	U	E	A	O	W	A	R	F	A
F	T	H	G	P	D	E	U	H	V	D	A	E	I	T
R	Q	W	H	M	E	N	R	C	F	J	R	T	R	V
D	E	L	C	G	E	I	S	V	F	R	I	A	R	K
Y	G	E	O	S	N	A	K	E	J	A	C	W	Y	J
Y	I	O	D	M	H	L	I	G	N	I	M	M	U	H
V	E	E	O	K	T	K	C	A	L	B	A	S	E	D

120

O	F	T	H	G	I	N	D	I	M	Q	Y	E	H	L
S	O	M	E	N	E	M	N	E	A	R	L	Y	N	E
R	R	C	U	R	I	O	U	S	A	E	Y	M	O	O
T	G	E	E	L	O	R	E	E	R	B	L	E	T	O
T	O	H	V	N	R	E	R	W	O	M	N	C	H	M
I	T	W	F	O	K	D	H	Y	T	A	O	N	I	A
W	T	G	O	P	T	I	P	L	I	H	U	O	N	N
C	E	D	D	U	L	O	M	T	S	C	Y	G	G	Y
A	N	T	X	E	N	K	K	N	I	H	N	P	I	L
M	Q	R	A	D	R	A	G	E	V	I	E	V	P	N
E	M	U	E	P	T	E	P	G	P	I	E	A	Q	E
O	D	R	A	D	P	H	T	P	W	E	A	R	Y	D
W	E	A	K	I	X	I	A	T	I	S	I	H	T	D
D	E	D	D	O	N	R	N	E	U	N	N	R	T	U
E	M	U	L	O	V	T	P	G	I	M	G	A	J	S

Solutions

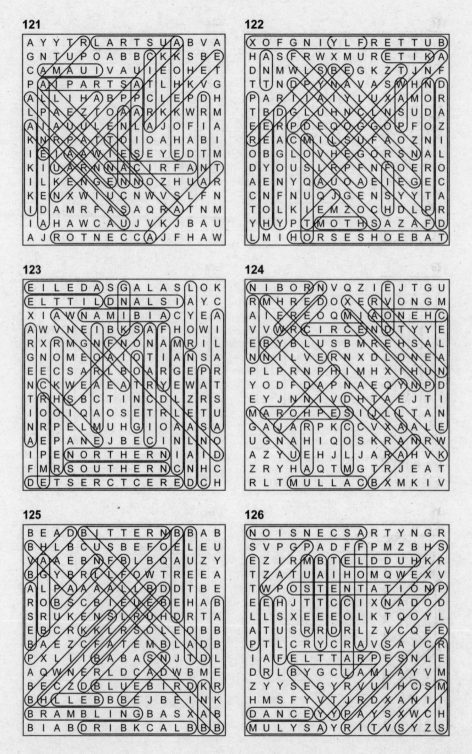

121

A	Y	Y	T	R	L	A	R	T	S	U	A	B	V	A
G	N	T	U	P	O	A	B	B	C	K	K	S	B	E
C	A	M	A	U	I	V	A	U	I	E	O	H	E	T
P	A	I	P	A	R	T	S	A	T	L	H	K	V	G
A	L	L	I	H	A	B	P	P	C	L	E	P	D	H
L	P	A	E	Z	T	O	A	A	R	K	K	W	R	M
A	I	A	U	U	L	E	N	L	A	J	O	F	I	A
K	N	R	P	A	T	T	D	I	O	A	H	A	B	I
I	E	I	A	A	W	I	E	S	E	Y	E	D	T	M
K	I	U	A	R	N	N	A	C	I	R	F	A	N	T
I	L	K	E	N	G	E	N	N	O	Z	H	U	A	R
K	E	N	X	W	I	U	C	N	W	V	S	L	F	N
I	D	A	M	R	F	A	S	A	Q	R	A	T	N	M
I	A	H	A	W	C	A	U	J	V	K	J	B	A	U
A	J	R	O	T	N	E	C	C	A	J	F	H	A	W

122

X	O	F	G	N	I	Y	L	F	R	E	T	T	U	B
H	A	S	F	R	W	X	M	U	R	E	T	I	K	A
D	N	M	W	L	S	B	E	G	K	Z	T	J	N	F
T	T	N	D	P	Y	N	A	V	A	S	W	H	N	D
P	A	R	I	I	A	I	Y	L	U	X	A	M	O	R
T	B	D	G	L	U	H	N	C	L	N	S	U	D	A
E	E	R	P	D	E	Q	O	G	G	O	P	F	O	Z
R	E	A	C	M	I	L	S	U	F	A	O	Z	N	I
O	B	G	L	O	V	H	E	G	O	R	S	N	A	L
D	Y	O	U	S	L	R	P	F	N	F	O	E	R	O
A	E	N	Y	Q	A	U	O	A	E	I	E	G	E	C
C	N	F	N	U	Q	J	G	E	N	S	Y	Y	T	A
T	O	L	K	I	E	M	Z	O	C	H	D	L	P	R
Y	H	Y	P	T	M	O	T	H	S	A	Z	A	F	D
L	M	I	H	O	R	S	E	S	H	O	E	B	A	T

123

E	I	L	E	D	A	S	G	A	L	A	S	L	O	K
E	L	T	T	I	L	D	N	A	L	S	I	A	Y	C
X	I	A	W	N	A	M	I	B	I	A	C	Y	E	A
A	W	V	N	E	I	B	K	S	A	F	H	O	W	I
R	X	R	M	G	N	F	N	O	N	A	M	R	I	L
G	N	O	M	E	O	A	I	O	T	I	A	N	S	A
E	E	C	S	A	R	L	B	O	A	R	G	E	P	R
N	C	K	W	E	A	E	A	T	R	Y	E	W	A	T
T	R	H	S	B	C	T	I	N	C	D	L	Z	R	S
I	O	O	I	Q	A	O	S	E	T	R	L	E	T	U
N	R	P	E	L	M	U	H	G	I	O	A	A	S	A
A	E	P	A	N	E	J	B	E	C	I	N	L	N	O
I	P	E	N	O	R	T	H	E	R	N	I	A	I	D
F	M	R	S	O	U	T	H	E	R	N	C	N	H	C
D	E	T	S	E	R	C	T	C	E	R	E	D	C	H

124

N	I	B	O	R	N	V	Q	Z	I	E	J	T	G	U
R	M	H	R	E	D	O	X	E	R	V	O	N	G	M
A	I	E	R	E	O	Q	M	I	A	O	N	E	H	C
V	V	W	R	C	I	R	C	E	N	D	T	Y	Y	E
E	B	Y	B	L	U	S	B	M	R	E	H	S	A	L
N	N	I	L	V	E	R	N	X	D	L	O	N	E	A
P	L	P	R	N	P	H	I	M	H	X	I	H	U	N
Y	O	D	F	D	A	P	N	A	E	Q	Y	N	P	D
E	Y	J	N	N	I	V	D	H	T	A	E	J	T	I
M	A	R	O	H	P	E	S	I	J	L	L	T	A	N
G	A	J	A	R	P	K	C	C	V	X	A	A	L	E
U	G	N	A	H	I	Q	O	S	K	R	A	N	R	W
A	Z	Y	U	E	H	J	L	J	A	R	A	H	V	K
Z	R	Y	H	A	Q	T	M	G	T	R	J	E	A	T
R	L	T	M	U	L	L	A	C	B	X	M	K	I	V

125

B	E	A	D	B	I	T	T	E	R	N	B	B	A	B
B	H	L	B	C	U	S	B	E	F	O	E	L	E	U
V	A	A	E	B	N	F	B	L	B	Q	A	U	Z	Y
B	G	Y	B	R	L	L	F	O	W	T	R	E	E	A
A	L	P	A	A	A	A	L	L	B	D	D	T	B	E
R	O	B	S	C	B	I	E	U	E	B	E	H	A	B
S	R	U	K	E	N	S	L	R	U	H	D	R	T	A
E	B	C	R	K	K	L	R	S	O	L	E	O	B	B
B	A	E	Z	C	F	A	T	E	M	B	L	A	D	B
P	X	L	I	I	B	A	B	A	S	N	J	T	D	L
A	Q	W	N	E	R	L	D	C	A	D	W	B	M	E
B	E	C	Z	D	B	L	U	E	B	I	R	D	K	R
B	H	L	L	E	B	B	B	E	J	B	E	I	N	K
B	R	A	M	B	L	I	N	G	B	A	S	X	A	B
B	I	A	B	D	R	I	B	K	C	A	L	B	B	B

126

N	O	I	S	N	E	C	S	A	R	T	Y	N	G	R
S	V	P	G	P	A	D	F	F	P	M	Z	B	H	S
E	Z	I	R	M	B	T	E	L	D	D	U	H	K	R
T	Z	A	T	U	A	I	H	O	M	Q	W	E	X	V
T	W	P	O	S	T	E	N	T	A	T	I	O	N	P
E	E	H	J	T	T	C	C	I	X	N	A	D	O	D
L	L	S	X	E	E	E	O	L	K	T	Q	O	Y	L
A	T	U	S	R	R	D	R	L	Z	V	C	Q	E	E
P	T	L	C	R	Y	C	R	A	V	S	A	I	C	R
I	A	F	E	L	T	T	A	R	P	E	S	N	L	E
D	R	L	B	Y	G	C	L	A	M	L	A	Y	V	M
Z	Y	Y	S	E	G	Y	R	V	U	I	H	C	S	M
H	M	S	F	Y	V	T	J	R	D	X	A	N	I	I
D	A	N	C	E	Y	Y	P	A	Y	S	X	W	C	H
M	U	L	Y	S	A	Y	R	I	T	V	S	Y	Z	S

Solutions

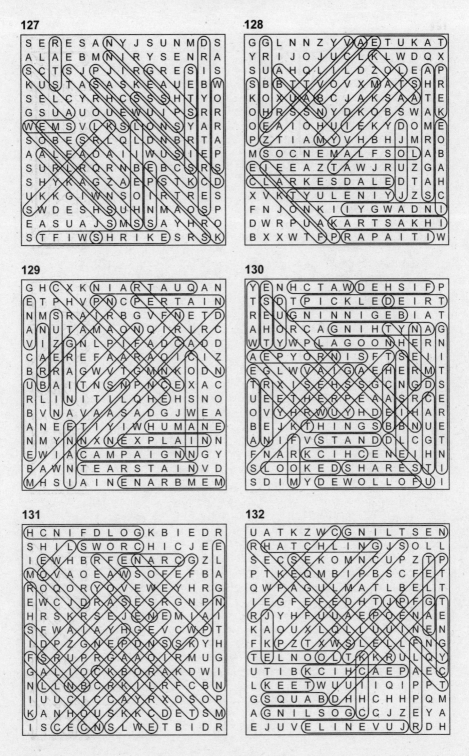

127

S	E	R	E	S	A	N	Y	J	S	U	N	M	D	S
A	L	A	E	B	M	N	I	R	Y	S	E	N	R	A
S	C	T	S	J	P	J	I	R	G	R	E	S	I	S
K	U	S	T	A	S	A	S	K	E	A	U	E	B	W
S	E	L	C	Y	R	H	C	S	S	S	H	T	Y	O
G	S	U	A	U	O	U	E	W	U	I	P	S	R	R
W	E	M	S	V	L	K	S	L	O	N	S	Y	A	R
S	O	B	E	S	R	L	Q	L	D	N	B	R	T	A
A	A	L	E	A	O	A	I	I	W	U	S	I	E	P
S	U	R	L	R	Q	R	N	B	E	B	C	S	R	S
S	H	Y	K	A	G	Z	A	E	P	S	T	K	C	D
U	K	K	G	I	W	N	S	O	I	R	T	R	E	S
S	W	D	E	S	H	S	U	H	N	M	A	O	S	P
E	A	S	U	A	J	S	M	S	S	A	Y	H	R	O
S	T	F	I	W	S	H	R	I	K	E	S	R	S	K

128

G	G	L	N	N	Z	Y	V	A	E	T	U	K	A	T
Y	R	I	J	O	J	U	C	L	K	L	W	D	Q	X
S	U	A	H	Q	L	I	L	D	Z	O	L	E	A	P
S	B	B	T	T	V	O	V	X	M	A	T	S	H	R
K	O	X	U	A	B	C	J	A	K	S	A	A	T	E
O	H	R	S	S	N	Y	D	K	O	B	S	W	A	K
O	E	A	I	O	H	U	I	E	K	Y	D	O	M	E
P	Z	T	I	A	M	Y	V	H	B	H	J	M	R	O
M	S	O	C	N	E	M	A	L	F	S	O	L	A	B
E	I	E	E	A	Z	T	A	W	J	R	U	Z	G	A
C	L	A	R	K	E	S	D	A	L	E	D	T	A	H
X	V	K	T	Y	U	L	E	N	I	Y	J	Z	S	C
F	N	J	O	N	K	I	I	Y	G	W	A	D	N	I
D	W	R	P	U	A	K	A	R	T	S	A	K	H	I
B	X	X	W	T	F	P	R	A	P	A	I	T	I	W

129

G	H	C	X	K	N	I	A	R	T	A	U	Q	A	N
E	T	P	H	V	P	N	C	P	E	R	T	A	I	N
N	M	S	R	A	I	R	B	G	V	F	N	E	T	D
A	N	U	T	A	M	A	O	N	Q	I	R	I	R	C
V	I	Z	G	N	L	P	I	F	A	D	C	A	D	D
C	A	E	R	E	F	A	A	R	A	O	I	C	I	Z
B	R	R	A	G	W	V	T	G	M	N	K	O	D	N
U	B	A	I	T	N	S	N	P	N	C	E	X	A	C
R	L	I	N	I	T	I	L	Q	H	E	H	S	N	O
B	V	N	A	V	A	A	S	A	D	G	J	W	E	A
A	N	E	E	T	I	Y	I	W	H	U	M	A	N	E
N	M	Y	N	N	X	N	E	X	P	L	A	I	N	N
E	W	I	A	C	A	M	P	A	I	G	N	N	G	Y
B	A	W	N	T	E	A	R	S	T	A	I	N	V	D
M	H	S	I	A	I	N	E	N	A	R	B	M	E	M

130

Y	E	N	H	C	T	A	W	D	E	H	S	I	F	P
T	S	D	T	P	I	C	K	L	E	D	E	I	R	T
R	E	U	G	N	I	N	N	I	G	E	B	I	A	T
A	H	O	R	C	A	G	N	I	H	T	Y	N	A	G
W	T	Y	W	P	L	A	G	O	O	N	H	E	R	N
A	E	P	Y	O	R	N	I	S	F	T	S	E	I	I
E	G	L	W	V	A	I	G	A	E	H	E	R	M	T
T	R	X	I	S	E	H	S	S	G	C	N	G	D	S
U	E	E	T	H	E	R	P	E	A	A	S	R	C	E
O	V	Y	H	R	W	U	Y	H	D	E	I	H	A	R
B	E	J	K	T	H	I	N	G	S	B	B	N	U	E
A	N	I	F	V	S	T	A	N	D	D	L	C	G	T
F	N	A	R	K	C	I	H	C	E	N	E	I	H	N
S	L	O	O	K	E	D	S	H	A	R	E	S	T	I
S	D	I	M	Y	D	E	W	O	L	L	O	F	U	I

131

H	C	N	I	F	D	L	O	G	K	B	I	E	D	R
S	H	I	L	S	W	O	R	C	H	I	C	J	E	E
I	E	W	H	B	R	F	E	N	A	R	C	G	Z	L
M	O	V	A	O	E	A	W	S	O	F	E	F	B	A
R	O	Q	O	R	Y	O	V	E	W	E	Y	H	R	G
E	W	C	J	D	R	A	S	E	S	R	G	N	P	N
H	R	S	K	R	S	E	J	E	N	E	M	I	A	I
S	F	W	A	I	A	Y	H	G	E	V	C	W	P	T
I	D	P	Z	G	N	E	P	D	N	S	S	K	Y	H
F	S	R	U	P	R	G	A	A	O	I	R	M	U	G
G	A	L	I	O	C	K	B	O	R	A	K	D	W	I
N	L	L	N	B	C	R	K	I	L	R	F	C	B	N
I	U	U	C	I	C	C	A	Y	R	X	O	S	O	P
K	A	N	H	O	U	S	K	K	C	D	E	T	S	M
I	S	C	E	C	N	S	L	W	E	T	B	I	D	R

132

U	A	T	K	Z	W	C	G	N	I	L	T	S	E	N
R	H	A	T	C	H	L	I	N	G	J	S	O	L	L
S	E	C	S	E	K	O	M	N	C	U	P	Z	T	P
P	T	K	E	Q	M	B	I	P	B	S	C	F	E	T
Q	W	P	A	G	U	L	M	A	T	L	B	E	L	T
I	E	G	F	E	F	E	D	H	T	J	P	F	G	T
R	J	Y	H	F	U	U	A	E	P	O	E	N	A	E
K	A	O	U	X	L	Q	L	L	U	U	I	N	E	N
F	K	P	Z	T	X	W	S	L	E	L	L	F	N	G
T	E	L	N	O	O	L	T	K	K	R	U	L	Q	Y
U	T	I	B	K	C	I	H	C	A	E	P	A	E	C
L	K	E	E	T	W	U	U	I	I	Q	I	P	P	T
G	S	Q	U	A	B	D	H	H	C	H	H	P	Q	M
A	G	N	I	L	S	O	G	C	C	J	Z	E	Y	A
E	J	U	V	E	L	I	N	E	V	U	J	R	D	H

Solutions

133

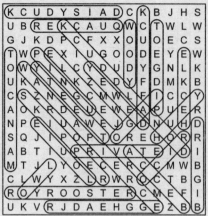

K	C	U	D	Y	S	I	A	D	C	K	B	J	H	S
U	B	R	E	K	C	A	U	Q	W	C	T	W	L	W
G	J	K	D	P	C	F	X	X	O	U	O	E	C	S
T	W	P	E	X	I	U	G	O	O	D	E	Y	E	W
O	W	Y	I	L	C	Y	D	U	D	Y	G	N	L	K
U	K	A	T	N	K	Z	E	D	Y	F	D	M	K	B
C	S	Z	N	E	G	C	M	W	L	F	I	C	C	Y
A	O	K	R	D	E	U	E	W	E	A	P	U	E	R
N	P	E	I	U	A	W	E	J	G	D	N	U	H	D
S	Q	J	I	P	O	P	T	O	R	E	H	O	R	R
A	B	T	I	U	P	R	I	V	A	T	E	I	D	I
M	T	J	L	Y	O	E	C	E	R	C	C	M	W	B
C	L	W	Y	X	Z	L	R	W	R	O	C	T	B	G
R	O	Y	R	O	O	S	T	E	R	C	M	E	F	I
U	K	V	R	J	D	A	E	H	G	G	E	Z	B	B